Meiden zijn gek... op jongens

MARION VAN DE COOLWIJK

MEIDEN ZIJN GEK...

OP JONGENS

Van Holkema & Warendorf

Voor Judith en Joris... bedankt voor het vertrouwen

ISBN 978 90 475 0162 6
NUR 283
© 2007 Uitgeverij Van Holkema & Warendorf,
Unieboek BV, Postbus 97, 3990 DB Houten

www.unieboek.nl
www.marionvandecoolwijk.nl

Tekst: Marion van de Coolwijk
Omslagontwerp: Marlies Visser
Foto's omslag: Corbis. Achtergrond afkomstig van
Indian Textile Prints, gepubliceerd door The Pepin Press,
www.pepinpress.com.
Opmaak: ZetSpiegel, Best

HOOFDSTUK 1

'Doe nou maar niet zo sloom!' Saartje stopte met trappen en ging recht op haar fiets zitten. 'Je bent gewoon verliefd.'

'Helemaal niet.' Valerie probeerde de blik van haar vriendin te ontwijken door flink door te trappen. 'Hoe kom je daar nu weer bij!'

'Het was woensdagmiddag en Saartje en Valerie waren onderweg naar hun vriendin Janine die vlak bij de voetbalvelden woonde. Gisteren hadden ze het plan opgevat om vanmiddag de jongens van D1 aan te moedigen tijdens hun voetbaltraining. Valerie had er nu al geen zin meer in. Als Saartje zo bleef zeuren...

Valerie had het een strak plan gevonden. 'Alleen zo trek je hun aandacht,' had Janine gezegd toen ze van de week aan het kletsen waren over de jongens uit de buurt. 'Ik zie de leukste binken elke woensdagmiddag vanuit onze tuin op het veld heen en weer

5

rennen. Wat willen we nog meer? We kunnen ze zo lang bekijken als we willen.'

Saartje boog zich over haar stuur en spurtte achter Valerie aan. 'Je kunt het toch gewoon toegeven?' ging ze verder. 'Dan zijn we ervanaf. Zo erg is het niet, hoor, om verliefd te zijn.' Ze wachtte even. 'Ik ben verliefd op Mert. Daar ga ik echt niet over liegen.'

'Wat?' Valerie trapte op haar rem. Haar achterwiel slipte en met een schurend geluid kwam ze tot stilstand. 'Dat meen je niet!'

Saartje zuchtte. 'Ja, hoor eens... Als we steeds stoppen, komen we nooit bij Janine.'

De moeder van Janine stond in de voortuin en zwaaide. 'Hallo meiden. Gezellig dat jullie er zijn. Janine is in de tuin. Loop maar door. Ik kom zo wat lekkers brengen.'

Saartje en Valerie zetten hun fiets tegen het hek en liepen direct door naar de achtertuin. Van Janine was geen spoor te bekennen, maar de meiden wisten waar ze moesten zijn. Via het schelpenpad liepen ze naar de uiterste hoek van de tuin, waar een grote wilg stond. Nadat ze een paar hangende takken opzij hadden geschoven, werd de houten trap naar de boomhut zichtbaar.

'Janine... We zijn er!' Saartje klom als eerste naar boven, op de voet gevolgd door Valerie.

De boomhut was groot genoeg voor de drie meiden.

Jaren geleden was hij gebouwd door de twee oudere broers van Janine. Die waren nu allang het huis uit en Janine maakte nu gretig gebruik van het bouwsel. Urenlang kon ze er soms zitten, starend over de weilanden en de voetbalvelden. Als ze boos of verdrietig was, of als ze ergens mee zat. Deze boomhut was een prima plek om ongestoord na te denken.

Janine hield van nadenken. Heerlijk vond ze het om haar gedachten te laten gaan over van alles en nog wat. Haar ouders noemden haar een dromer en ook meester Kas had moeite om haar bij de les te houden.

'Hoi,' zei Janine en ze schoof iets op op het grote kussen. 'Wat zijn jullie laat, zeg! De jongens zijn al op het veld. Lekke band?'

'Nee,' zei Saartje. 'Valerie is op Cem.'

'En Saartje op Mert,' snauwde Valerie.

Janine grijnsde. Ze was het gekibbel van haar twee vriendinnen wel gewend. 'Oh ja, en daarom zijn jullie wat later? Lekker duidelijk.'

'Die tut durft het niet toe te geven,' ging Saartje verder. 'De hele weg hiernaartoe heeft ze het over Cem. Wat hij draagt, hoe zijn haar zit, dat hij een nieuw skateboard heeft... Gek word ik ervan. Als ik dan zeg dat ze verliefd is, wordt ze boos.'

'Ik ben niet verliefd,' verdedigde Valerie zich weer. 'Snap dat dan! Ik vind hem leuk, maar verliefd...' Ze trok een vies gezicht. 'Gets, nee! Verliefd is zo... zo...'

7

'Lekker,' vulde Saartje aan. 'Ik ben verliefd op Mert en dat voelt superlekker. Die kriebels in je buik... net of je zweeft. Ik wil altijd en *forever* verliefd zijn, mijn hele leven.'

'Zo lang?' vroeg Janine die zich niet kon voorstellen dat je zo lang op iemand verliefd kon zijn.

'Ja, waarom niet?'

'Klef hoor... Weet Mert dat?'

'Wat heeft die daarmee te maken?'

Janine knipperde met haar ogen. Ze kon haar vriendin even niet volgen. 'Lijkt me wel handig als hij dan ook zijn hele leven op jou...'

Saartje schoot in de lach. 'Doe niet zo vreselijk ouderwets, zeg. Ik blijf toch niet mijn hele leven verliefd op dezelfde jongen? Het gaat mij meer om het gevoel. Op wie ik verliefd ben, is niet zo belangrijk.'

'Oh...' Janine moest even nadenken. 'Ik snap het... geloof ik.' Saartje kon soms zo snel zijn met haar woorden, vond ze. En het ergste was nog dat Saartje er gewoon van uitging dat anderen haar meteen snapten. De woorden van Saartje vlogen er vaak aan de ene kant in en aan de andere kant meteen weer uit.

Saartje staarde wat dromerig voor zich uit. 'Heb je Mert zijn ogen gezien? Die zijn...'

'Vorige week was je nog verliefd op Thijs,' viel Valerie haar in de rede. 'Ik houd het allemaal niet bij met jou.'

'Hmm...' gromde Saartje. 'Thijs is out. Hij heeft van die stomme schoenen gekocht. Bleh... Daar ga ik echt niet naast lopen. Schuif eens op.'

De drie meiden nestelden zich in het grote kussen. Janine was blij dat het onderwerp verkering gesloten was. Ze voelde zich altijd wat ongemakkelijk bij de verhalen van Saartje. Op de een of andere manier leek het altijd net of Saartje alles wist over jongens en zij niets. Nou was dat natuurlijk wel zo. Janine had eigenlijk nog nooit verkering gehad. Daar schaamde ze zich best wel een beetje voor. Alle andere meiden uit haar klas hadden al vriendjes. Janine hoefde niet zo nodig mee te flirten. Het was toch maar een spel. Kinderspel... Nee, zij dacht heel anders over de liefde. Echte liefde was voor altijd. Dat had ze ergens gelezen en het voelde goed. Ooit zou ze de ware tegenkomen, haar prins op het witte paard, haar held, haar...

'Hé, waar zit jij met je gedachten?' De stem van Valerie deed Janine opschrikken.

'Oh... eh... nergens... Niets bijzonders. Waar hadden we het over?'

Saartje trok een raar gezicht. 'Ja, waar hadden we het nou toch over?' Ze wees naar het voetbalveld. 'Over jongens natuurlijk, suffie. Daar zijn we hier toch voor?' Ze tuurde in de verte en zag een groepje jongens het veld opkomen. 'Zijn dat ze?' Saartje kneep haar ogen samen. 'Met voetbalkleren lijken alle jongens op elkaar.'

Janine haalde een verrekijker onder haar kussen vandaan. 'Tata...'

'Oh, gaaf!' Zonder iets te vragen nam Saartje de verrekijker van Janine over. 'Hoe werkt-ie?' Ze duwde de verrekijker tegen haar ogen en richtte haar blik op het voetbalveld. 'Oeps, nu zie ik allemaal benen.' Saartje draaide wild aan de knopjes. Valerie bracht haar wijsvinger naar haar voorhoofd en bewoog haar lippen. 'M-a-f.'

Janine knikte. Ook zonder geluid had ze het verstaan. Saartje had niet eens door dat ze haar in de maling namen. Ze was ook altijd zo overtuigd van zichzelf.

'Is er wat?' Saartje liet de verrekijker zakken en keek haar vriendinnen aan. 'Zei je wat?'

'Wie? Ik?' Valerie trok het onschuldigste gezicht dat ze kon bedenken. 'Nee, hoezo?'

Janine liet zich van het kussen rollen. Valerie was een echte toneelspeelster. Dat gezicht van haar. Alsof ze de onschuld zelf was. Janine voelde dat ze haar gezicht niet langer in de plooi kon houden. 'Ik ga even kijken waar mijn moeder blijft, ze zou ons iets te drinken brengen.'

Ze schoof naar de ladder en klom naar beneden. 'Ben zo terug.'

Saartje schudde haar hoofd. 'Ik heb het gevoel dat ik iets mis.'

'Nee, hoor!' Valerie pakt de verrekijker van haar over. 'Laat mij eens kijken. Kun je wat zien?'

'Niet echt. Volgens mij is Mert nummer acht. Maar zeker weten doe ik het niet.'

'Die met die melkflessen?' mompelde Valerie.

'Geef hier!' Saartje rukte de verrekijker uit Valerie haar handen en tuurde naar de jongen met rugnummer acht. 'Ik...' Ze liet de verrekijker zakken. 'Je hebt gelijk. Die benen zijn nog witter dan wit. Afschuwelijk!'

'Het doet gewoon zeer aan je ogen,' grijnsde Valerie. 'Weet je zeker dat je...'

'Het is over!' siste Saartje beslist.

Valerie keek om en trok een verdrietig gezicht. 'Ach gut, alleen omdat hij witte benen heeft? Je zei net dat-ie van die mooie ogen had.'

'Kan best wezen,' mopperde Saartje. 'Maar naast twee van die flitspalen ga ik echt niet lopen.' Ze richtte de verrekijker weer op het voetbalveld.

'Hoe ga je het uitmaken?' vroeg Valerie.

'Heb je nummer zes gezien?' Saartje gaf de verrekijker over. 'Daar, links. Moet je die benen zien... lekker kleurtje.'

'Dat is Cem,' bromde Valerie, die het rugnummer van Cem allang kende. Een onrustig gevoel bekroop haar. Saartje zou toch niet...? Nee! Zoiets doen vriendinnen niet.

'Echt?' riep Saartje. 'Wow... Ik wist niet dat het zo'n hunk was.'

Valerie keek geïrriteerd. 'Ik vroeg je wat.'

'Wat dan?'

'Hoe je het uit gaat maken met Mert.'

'Oh... weet ik veel. Straks op msn, denk ik.' Saartje legde de verrekijker neer. 'Wist je trouwens dat ik eindelijk een groter geheugen heb?'

'Is niet te merken,' mompelde Valerie.

'Op mijn computer, dombo,' ging Saartje verder. 'Nu kan ik nog meer downloaden en die film die we laatst...'

Ze kon haar zin niet afmaken, want Janine kwam met een vol dienblad naar boven geklommen. 'Help eens even.'

Janine schoof het blad met glazen en koekjes over de vloer van de boomhut. Valerie trok het dienblad naar zich toe, zodat Janine de hut in kon kruipen. 'Iets gemist?' vroeg ze toen ze het geïrriteerde gezicht van Valerie zag.

'Saartje heeft een groter geheugen,' mompelde Valerie. 'En Mert heeft flitspalen. Het is uit.'

Janine fronste haar wenkbrauwen. 'Ik geloof niet dat ik dit wil weten.'

'Mmm, kokoskoekjes...' Saartje propte een koekje in haar mond en pakte een van de glazen. Ze spoelde het koekje weg en propte een tweede in haar mond. 'Lekker?' vroeg Janine. 'Denk je dat wij er ook eentje kunnen nemen?'

'Mph... ga mph... je mph... gang.' Saartje pikte nog snel een derde koekje van het blad. 'Er is mph... genoeg, toch?'

Zonder iets te zeggen pakten Janine en Valerie ook

een koekje. Saartje klokte haar glas leeg, liet zich achterover in het kussen vallen en boerde.

'Jongens zijn net kokoskoekjes,' verzuchtte ze. 'Lekker, maar voordat je het weet heb je er de buik vol van.'

'Misschien moet je je tot één koekje beperken,' gromde Valerie, die de opmerking over Cem nog niet vergeten was.

'Misschien...' Saartje rekte zich uit. 'Ach, eigenlijk weten we allemaal dat die jochies daar op het voetbalveld het net niet zijn. Er is maar één echte hunk hier. Toch?'

'Myren,' zuchtten drie stemmen tegelijk.

Janine had het gezicht van Myren direct op haar netvlies staan. Myren was echt een van de leukste jongens die ze kenden. Alle meisjes waren gek op hem. Tenminste... Janine glimlachte en het beeld van Myren vervaagde. Ervoor in de plaats kwam het gezicht van Niels, de jongen uit de klas van meester Jens. Niels was toch net een ietsiepietsie leuker.

Janine zuchtte. Niels was leuk, leuker dan leuk. Zou hij haar ook leuk vinden? En was dit nu verliefd zijn? Janine probeerde wanhopig de gedachte aan Niels weg te drukken. Ze mocht zichzelf niet verraden. Iedereen was op Myren, dus zij ook... dat was voorlopig even het beste.

'Ik zag Myren gisteravond op zijn fiets voorbijscheuren,' zei Saartje.

'Echt?' riep Valerie. 'Zei hij nog wat?'

Saartje schoot in de lach. 'Ja, hoor! Hij zag mij, trapte op zijn rem en verklaarde mij zijn liefde... Doe niet zo dom! Natuurlijk zei hij niets. Hij zag mij niet eens staan.'

Janine verwachte een nijdig antwoord terug van Valerie. Saartje kon het ook altijd zo tactisch zeggen... maar niet heus. En met zo'n typisch ik-weet-het-altijd-beter-toontje.'

Maar Valerie keek dromerig voor zich uit. 'Voor zo'n jongen zijn wij toch veel te kinderachtig,' fluisterde ze. Zo te merken was haar het toontje van Saartje niet eens opgevallen.

'Pardon?' riep Saartje en ze strekte haar rug. 'Ik ben niet kinderachtig, hoor!'

'Myren gaat al uit,' ging Valerie verder. 'Echt... Renske vertelde gisteren dat haar oudere zus Raquel hem zaterdagavond laat zag in het café.'

'Dat meen je niet!' riep Janine.

'Hoe doet-ie dat toch?' peinsde Saartje. 'Hij mag dan misschien een jaartje ouder zijn, maar hij zit wel mooi in dezelfde klas als wij.'

'Myren interesseert zich niet voor meiden van onze school,' zei Valerie. 'Hij heeft gezoend met Raquel.'

'Wat? Maar die is veertien!'

Valerie haalde haar schouders op. 'Het is echt waar. Renske liegt niet.'

'Myren is te hoog gegrepen,' stelde Saartje vast. 'Maar het blijft een lekker ding.'

'Oké, oké...' reageerde Janine. 'Voorlopig richten we

ons nog maar even op de D'tjes hier op het voetbalveld.'

Janine schoof het blad opzij. 'Zeg, hebben jullie je
act al op orde voor het schoolfeest?'

Het jaarlijkse schoolfeest kwam er weer aan en de
kinderen uit de bovenbouw moesten in groepjes een
optreden van een paar minuten voorbereiden. Een
jury zou dan een winnaar kiezen.

'Natuurlijk. Het wordt nog beter dan vorig jaar. Ik
heb al twee keer gewonnen,' zei Saartje.

Janine en Valerie knikten.

'Dat weten we,' zei Janine en ze dacht terug aan de
vorige twee schoolfeesten. Saartje had de sterren van
de hemel gedanst met drie andere meiden uit de klas
die ook op streetdance zaten. Ze waren zo professio-
neel... daar kon geen andere act tegenop.

Saartje glimlachte. 'Als we dit jaar weer winnen,
blijft de beker in mijn bezit.'

'Ga je weer streetdancen dan?' vroeg Janine.

'Tuurlijk! Je moet doen waar je goed in bent.'

'Lekker origineel,' mompelde Valerie. 'Zo geef je anderen nooit een kans.'

'Stel je niet zo aan. Dan moeten die anderen gewoon
beter hun best doen. Wat gaan jullie eigenlijk doen?'

Valerie wachtte even. 'Goochelen,' zei ze toen zacht.
Wat onzeker plukte ze aan haar shirt. Goochelen was
misschien niet zo hip, maar zij vond het leuk. Wat
ongemakkelijk wachtte ze op de reactie van haar
vriendinnen.

'Wat?' Saartje keek verbaasd.

'Je hoorde me wel,' zei Valerie. 'Ik ga samen met Thijs, Dave, Puk en Mirjam een goochelact doen.' Ze praatte snel door, zodat Saartje geen kans had om een van haar gevatte opmerkingen te plaatsen. 'Het wordt echt heel cool. Thijs heeft een zaag en ik...'

'Ho, stop,' onderbrak Saartje haar vriendin. 'Anders verraad je de clou.'

'Maar...'

'Dat moet je nooit doen bij goochelacts,' ging Saartje verder. 'Zelfs je beste vriendin vertel je zoiets niet.'

'Ik wilde helemaal niet...'

'Stil nou!'

Valerie hield beledigd haar mond.

Waarom luisterde Saartje nooit eens naar iemand? Saartje bedoelde het goed, maar op de een of andere manier wist ze soms het bloed onder je nagels vandaan te halen met haar getetter.

'Ik ga zingen,' zei Janine trots terwijl ze haar lege glas neerzette. 'Met Nance, Joyce, Kelly en Claire. En Niels doet ook mee.' De laatste zin sprak ze bijna fluisterend uit.

Het was even stil in de boomhut.

'Niels?' Saartje keek verbaasd. 'Uit de klas van meester Jens? Die met die blonde haren?'

'Mijn buurjongen?' vroeg Valerie.

Janine knikte en voelde haar wangen gloeien. 'Ja, hij

hoorde dat wij een hiphopnummer gingen doen. Het was zijn lievelingsnummer, zei hij. Natuurlijk hebben wij eerst overlegd...'

'Tuurlijk,' grijnsde Valerie en ze wierp haar donkere haren naar achteren. 'Als de op één na leukste jongen van school vraagt of hij mee mag doen, dan ga je daar natuurlijk eerst heel hard over nadenken.'

Janine probeerde niet op de knipperende ogen van Valerie te letten. 'Dat houdt het spannend.'

'En?' vroeg Saartje. 'Kan-ie zingen?'

'Echt wel. We hebben het natuurlijk nog niet zo tegen hem gezegd...'

'Tuurlijk niet.'

'Maar hij heeft echt een geweldige stem.' Janine probeerde haar gezicht in de plooi te houden. 'Ik geloof dat jij verliefd bent,' zei Valerie.

Janine voelde haar onderzoekende blik en keek strak voor zich uit. Nu moest ze niets laten merken. 'Ach, hoe kom je daar nou bij,' zei ze zacht.

'Kijk maar uit,' reageerde Saartje. 'Je bent niet de enige.'

Janine schrok zichtbaar en wist dat ze zich verraden had. 'Maar jij was toch...'

'Ik niet, gekkie... maar wel alle andere meiden van school. Myren is onbereikbaar voor ons, maar als je verliefd wordt op zo'n jongen als Niels, zul je moeten vechten.'

'Van mij mag je hem hebben,' lachte Valerie. 'Want ik...' Ze hield op met praten.

17

'...ben toch op Cem,' ging Saartje verder. 'Zie je wel. Had ik toch gelijk!'

'En jij dan?' vroeg Valerie. 'Op wie ben jij dan?'

'Daar ga ik nog even over nadenken. Voorlopig heb ik keuze genoeg.'

Ze pakte de verrekijker op en tuurde weer naar het voetbalveld. 'Geef me één minuutje!'

HOOFDSTUK 2

'Pak eens aan.'
Nikki's moeder duwde een grote doos naar de laad-
klep van de vrachtwagen. 'Voorzichtig, hier zit servies in.'
Nikki knikte naar haar moeder en probeerde de doos
op te tillen. 'Te zwaar, mam,' zei ze en ze keek om
naar de voordeur waar een verhuizer zojuist naar buiten stapte.
'Meneer, deze doos...'
Nog voordat Nikki haar zin af kon maken, had de
man haar al opzijgeduwd en de doos opgetild. 'Als
jij nou eens een lekker bakkie koffie voor ons gaat
maken, meissie. Laat ons het zware werk maar
doen.'
Nikki's ogen gloeiden. Ze balde haar vuisten. Wat
was dat nou voor een domme opmerking? Alsof ze
niets anders kon dan koffiezetten!
'Doe het lekker zelf, macho,' bromde ze.

'Nikki!' De stem van haar moeder klonk schel. Heel even keek Nikki haar moeder aan. De vermoeide blik in haar moeders ogen deed Nikki besluiten om haar moeder niet langer te irriteren.

'Het spijt me,' mompelde ze. 'Ik zal kijken of er koffie is.'

Nikki draaide zich om en liep het huis in. De oude houten vloer en de kale muren zagen er troosteloos uit. De huiskamer stond vol verhuisdozen en in de keuken was het een nog grotere bende. Overal stonden tassen en dozen. Het aanrecht was bezaaid met flessen, potten, doosjes en zakken.

Nikki stootte tegen de koelkast die de verhuizers zojuist in de hoek van de keuken hadden geschoven.

'Au!' Ze gaf de koelkast een trap en zag het ding wankelen. 'Oeps!' Snel sloeg ze haar armen om het apparaat heen. De koelkast was nog niet aangesloten en dus hartstikke leeg. 'Stom,' siste ze, terwijl de koelkast weer tot rust kwam. Nikkie liet de koelkast los en keek om zich heen. Waar zou het koffiezetapparaat zijn?

Ze rommelde wat tussen de dozen en las de krabbels die op de deksels stonden.

'Schalen... bekers... bestek... schoonmaakmiddelen...'

Achter haar hoorde ze de verhuizer aankomen. Nikki schoof wat dozen opzij en wees de man de lege plek waar hij de doos met servies neer kon zetten.

'Nog even geduld, meneer,' zei ze zo vriendelijk mogelijk. 'De koffie komt eraan.'

De man glimlachte. 'Is goed, meissie. We gaan nog effe door.'

Terwijl de man het huis weer uit liep, staarde Nikki uit het keukenraam. Ze zag haar moeder bij de verhuiswagen staan. Haar tengere lijf leek nog magerder geworden sinds... sinds...

Nikki voelde haar lippen trillen. Ze zag het gezicht van haar vader voor zich. Zijn lieve ogen, zijn piekharen...

Snel veegde ze haar ogen droog. Ze zou hem nooit meer zien. De kist waarin hij lag had ze zelf met mama laten zakken. Dieper en dieper, tot hij op de bodem van de kuil stond. Met haar handen had ze zand op de kist gegooid. 'Dag, pap,' had ze gefluisterd. De miezerige regen had van het zand modder gemaakt. De kluiten hadden een hol tikkend geluid gemaakt op het hout. Gek eigenlijk dat je je op zo'n moment gaat afvragen of de kist wel waterdicht is.

Nikki haalde het koffiezetapparaat uit een doos. Ze moest mama nu zo goed mogelijk helpen. Nikki stak de stekker in het stopcontact en dacht terug aan de afgelopen weken. Het was een ware nachtmerrie geweest.

Eerst het auto-ongeluk, toen de begrafenis en alsof dat al niet erg genoeg was, had mama te horen gekregen dat de levensverzekering van papa niets voorstelde. Het bedrag dat ze kreeg was veel te weinig om in hun eigen grote huis te blijven wonen. Nikki had gehuild en geschreeuwd toen ze hoorde dat mama hun huis

21

moest verkopen en ook al gesolliciteerd had naar een parttimebaan in een andere stad. 'Dit is ons huis!' had ze geroepen. 'Dat verkoop je niet! Hier woonden we met papa. Dat kun je niet maken! Ik haat je!'

Nikki vulde de watertank en schepte wat koffie in de filter. Ze zou het gezicht van haar moeder, toen ze dat zei, nooit vergeten. De teleurstelling, het verdriet en de onmacht... Nikki had op slag spijt gehad van haar reactie. Ze had haar moeder vastgepakt en samen hadden ze al hun tranen gehuild.

Het was niet eerlijk! Waarom zij? Weg papa, weg huis, weg samen... Vandaag trokken ze in hun nieuwe huis, in een nieuwe buurt met nieuwe buren en een nieuwe school.

De laatste schep koffie belandde op de filter en Nikki drukte op de rode knop. Binnen enkele seconden vulde de keuken zich met de geur van verse koffie.

'Mmmm, dat ruikt goed.' De verhuizer zette samen met zijn collega nog een doos op de grond. 'Dit is de laatste. We sluiten even de wagen af en dan komen we. Melk en suiker graag.'

Nikki zuchtte. 'Melk en suiker graag,' aapte ze de man na. Ze bukte en keek in de doos waar ze zojuist het koffiezetapparaat uit had gehaald. Zou haar moeder zo slim zijn geweest om...

'Yes!' riep ze triomfantelijk toen ze de melk en de suiker en vier mokken zag.

'Wat een vrolijkheid!' Nikki's moeder kwam de keuken in gelopen. 'Lukt het een beetje?'

'Ook koffie?' Nikki hield de bekers omhoog. Ze hoopte maar dat haar moeder haar rode ogen niet zag.

'Lekker.'

'Je kunt nog kiezen.' Nikki's moeder stond boven aan de trap. Nikki twijfelde. De kamer aan de straatkant, waar ze voor had gekozen, had een inloopkast. Nikki had al haar spullen door de verhuizers naar de kamer aan de straatkant laten brengen. Maar nu ze ontdekt had dat er in de andere kamer een tv-aansluiting was, was de keuze moeilijker geworden.

'Als je wilt, mag je de kleine tv hebben,' zei haar moeder. 'Ik kijk eigenlijk nooit tv op mijn slaapkamer. Dat ding stond er eigenlijk alleen voor...'

Ze stopte en beet op haar lip.

'Voor papa,' vulde Nikki aan. 'Je mag het best zeggen, hoor.'

'Ik vind het moeilijk,' fluisterde haar moeder. 'Iedere keer als ik zijn naam uitspreek, dan zie ik hem voor me. En dan is het net of hij er nog is.'

Nikki wist precies wat haar moeder bedoelde. 'Dat heb ik ook,' zei ze. 'En eigenlijk vind ik dat wel fijn. Zo is papa toch bij ons?'

Haar moeder glimlachte. 'Als je het zo bekijkt...'

'Zo moet je het bekijken,' reageerde Nikki. 'Je kunt het toch niet tegenhouden en dan voelt het niet zo rot.' Ze wees naar de tuinkamer. 'Ik neem deze,' zei ze beslist. 'Met de tv van papa.'

Samen sjouwden ze alle dozen van de straatkamer naar de tuinkamer. Ook haar drumstel paste er nog in. Er bleef niet veel ruimte over om te lopen, maar dat nam Nikki voor lief.

'Uitpakken doe je zelf, Nik,' zei haar moeder. 'Jij jouw eigen spullen, ik de mijne.' Ze sloeg haar arm om Nikki heen. 'En houd het netjes! Van nu af aan zullen we alles zelf moeten doen. Geen papa meer die je kamer op komt ruimen, dame.'

'Geen papa meer die de ramen voor je lapt, mam,' grijnsde Nikki.

Nikki's moeder kneep in haar neus. 'Geen papa meer die de tafel voor je afruimt, zodat jij snel nog even buiten kunt spelen.'

'En geen papa meer die je voeten masseert als je moe bent.'

Het was even stil.

Geen papa meer... De drie woorden galmden na in Nikki's hoofd. Vanaf nu moesten ze het samen doen. En Nikki was vastbesloten om haar moeder te helpen. 'We zien hem niet, maar hij is er wel,' zei ze zacht. Ze rechtte haar rug. 'En daarom gaan we snel aan de slag,' riep ze vastbesloten. 'Anders begint hij weer te mopperen dat alles zo traag gaat hier in huis.'

Na een paar uur hard werken waren al veel dozen uitgepakt en stonden de meeste meubels op hun plek. Ook Nikki had haar best gedaan. Ze zat op de rand van haar bed en keek tevreden om zich heen.

De appeltjesgroene muren, de zwarte vloerbedekking, de spiegelkast, haar zilverkleurig gespoten kaptafel... het zag er perfect uit.

Nikki stond op en liep naar haar raam. De tuin zag er verwilderd uit. Flappie, haar konijn, zat wat onwennig in zijn hok dat in de hoek van de tuin stond. 'Dat wordt smullen, Flap,' mompelde ze. 'Er staan genoeg distels.'

De vorige bewoners hadden niet echt groene vingers, bedacht ze. In de verte zag ze kleine kinderen spelen op een grasveld. Zouden er kinderen van haar leeftijd in deze buurt wonen?

Vorige week had ze afscheid genomen van haar klasgenootjes. Door de drukte van de verhuizing had ze nog niet veel tijd gehad om na te denken over haar nieuwe school. Mama had haar ingeschreven op de school hier vlakbij. 'Wel zo handig,' had ze gezegd. 'Dan leer je het snelst vriendinnen kennen uit de buurt.'

Nikki had nog niet echt behoefte aan nieuwe vriendinnen. Ze had al een nieuw huis, een nieuwe kamer, een nieuw leven... Alle herinneringen moesten nog een plaatsje krijgen. Nikki liep naar haar bureau en pakte haar vriendenboekje op dat ze bij haar afscheid van haar oude klas had gekregen. De pagina's gleden door haar vingers. Nikki glimlachte. Iedereen had iets liefs in het boekje gezet... ook de meester.

Zo kun je altijd aan ons denken, had de meester geschreven.

'Nik! Kom je eten?' De stem van haar moeder verbrak de stilte.

'Ik kom!' Nikki liep de trap af. In de huiskamer was nog niet alles op orde, maar de tafel was gedekt en er brandde zelfs een kaarsje.

'En?' Nikki's moeder kwam aangelopen met een ovenschaal. 'Hoe bevalt je nieuwe kamer?'

'Cool. Dat komt helemaal goed!'

Heel even voelde ze de onderzoekende blik van haar moeder. Nikki ging aan tafel zitten. 'Wat eten we?'

'Zuurkoolschotel.'

Nikki's gezicht betrok, maar ze zei niets. Zuurkool was zo'n beetje het ergste wat je kon eten, vond ze.

'Ik weet het,' zei haar moeder en ze zette de ovenschaal op tafel. 'Maar oma kwam dit vanochtend brengen. Ze had het ingevroren. Ik hoefde het alleen maar in de oven te schuiven, zei ze. Wel zo makkelijk.'

De lucht van de zuurkool walmde over tafel. Nikki probeerde haar adem in te houden, maar dat was onbegonnen werk. De zuurkoollucht drong overal bij haar naar binnen.

'Oma denkt nog steeds dat ik ook gek op zuurkool ben, omdat het papa's lievelingseten was. Kunnen mensen niet gewoon even logisch nadenken? Hoe vaak heb ik niet gezegd dat...'

'Je neemt maar een hapje,' zei haar moeder. Een flinke kwak zuurkoolstamppot belandde op Nikki's bord.

'Ah, mam... *please*... dit kun je mij niet aandoen. Mag ik een patatje halen?'

'Eet smakelijk.' Haar moeder nam een hap en glimlachte vriendelijk naar haar dochter. Nikki zweeg. De boodschap was duidelijk. Ze deed haar uiterste best om een paar happen naar binnen te werken.

'Morgen naar je nieuwe school,' verbrak haar moeder de stilte. 'Heb je er zin in?'

'Nee,' bromde Nikki. Ze duwde wat zuurkool op haar vork en liet het er aan de andere kant weer af vallen. 'Kan ik niet nog een dagje thuisblijven morgen? Er is nog zoveel te doen.'

'Nee, lieverd. Je bent al ruim een week thuis om te klussen. Ik heb gezegd dat je morgenochtend naar school komt.'

Nikki liet haar vork vallen. 'Verhuizen, zuurkool, school... Hoeveel erger kan het nog worden?'

'Meester Kas verwacht je,' ging haar moeder verder.

'Kas...' herhaalde Nikki. 'Ook dat nog. Kan nooit veel soeps zijn.'

'Kan het iets vrolijker?' Haar moeder zuchtte. 'Beoordeel nooit iemand op zijn naam alleen.'

Nikki schoof haar bord van zich af. 'Ja, ja... ik weet het.'

'Je weet dat papa...'

Nikki stoof op. 'Ik zei toch dat ik het wist!' Ze wist precies wat haar moeder ging zeggen. Papa had zijn hele leven moeite gehad met zijn naam. Hij had vaak genoeg verteld hoe hij was uitgelachen of hoe mensen al bij voorbaat een oordeel hadden, alleen bij het horen van zijn naam.

'Wie noemt zijn kind dan ook Flipke?' riep Nikki. 'Zoiets doe je je ergste vijand nog niet aan! Opa en oma hebben papa's leven verpest, en proberen nu mij te stangen. Ik moet na zijn dood nog steeds naar dat gezeur over die naam luisteren en zuurkool eten! En ik zal je nog eens wat vertellen...'

Nikki's moeder greep in. 'En nu is het uit!' Ze smeet haar servet op tafel. 'Naar je kamer!'

Nikki gaf haar stoel een zet. 'Mij best. Hoef ik ook niet op te ruimen.'

Ze stoof de kamer uit, de trap op en belandde op haar bed. Met haar gezicht in haar kussen gedrukt probeerde ze haar tranen tegen te houden.

HOOFDSTUK 3

'Dit is Nikki.'

Het was doodstil in de klas. Meester Kas stond naast Nikki en glimlachte. 'Nikki is deze week verhuisd. Ze woont nu hier in de buurt en komt bij ons in de klas.'

Hij gaf Nikki een hand. 'Welkom, namens iedereen.'

Verlegen gaf Nikki haar nieuwe meester een hand. In de klas klonk gefluister. Wat ongemakkelijk keek Nikki de klas in. Ze had hier zo geen zin in!

'Je mag voorlopig bij Valerie, Janine en Saartje in het groepje,' ging meester Kas verder. Hij wees naar de lege tafel bij het raam. 'Valerie, geef jij Nikki eens een pen, een potlood en een gum.'

Valerie stond op en liep naar de kast.

'Heeft Nikki ook een achternaam, mees?' riep Myren.

'Jazeker,' antwoordde meester Kas. 'Vanwaar die interesse? Ben je van plan haar een brief te schrijven?'

Er klonk gegiechel.

'Eh, nee, maar ik dacht...'

'Het lijkt me verstandiger dat we nu eerst eens aan het werk gaan. Als jullie morgen nog willen oefenen voor het optreden, dan zal er vandaag hard gewerkt moeten worden.'

Nikki was blij dat de meester zich aan zijn belofte hield. Ze had hem vanochtend bij binnenkomst nadrukkelijk gevraagd om nog even niets te zeggen over haar vader en de reden van haar verhuizing. 'Ik moet zelf nog wennen,' had ze gezegd. 'Ik vertel het wel als ik dat wil.'

De meester had het begrepen en Nikki was schoorvoetend met hem mee gelopen naar de klas.

'Doet Nikki ook mee?' riep Renske. 'Wij hebben alle groepjes al klaar.'

Meester Kas knikte. 'Dat zien we wel. Dat komt vast goed.'

Nikki liep naar haar tafel, waar Valerie net de spullen neerlegde.

'Dank je,' zei Nikki en ze ging zitten.

Janine, die tegenover haar zat, boog iets naar voren. 'Hoi, ik ben Janine.'

'En ik ben Saartje,' zei het meisje naast Nikki. Ze glimlachte vriendelijk.

Valerie ging naast Janine zitten, maar zei niets.

Deze meiden leken haar wel aardig, maar Nikki voelde zich nog niet echt op haar gemak.

Terwijl iedereen zijn rekenschrift pakte, legde meester Kas een nieuw schrift op Nikki's tafel neer. 'Ik heb begrepen dat je goed bent in rekenen?'

Nikki haalde haar schouders op. 'Gaat wel.'

'We kunnen wel wat rekentalent gebruiken hier in de klas.' Meester Kas liep naar het bord. 'Bladzijde vijftien.'

Er klonk geritsel van papier.

'Wie kan voor mij nog even herhalen wat we gisteren hebben geleerd?'

Het bleef stil.

'Niemand?' Meester Kas keek in het rond. 'Saartje?'

Saartje slikte. 'Eh... het ging over procenten, meester.'

'Juist, ga verder. Wat zijn procenten?'

Er viel een stilte. Wat ongemakkelijk schoof Saartje op haar stoel heen en weer.

'Nou?'

'Eh... ik denk...' stamelde Saartje.

'Eén honderdste deel,' fluisterde Nikki. 'Procent betekent één honderdste deel.'

'Zei je wat, Nikki?' vroeg de meester.

Nikki keek naar Saartje, maar die ontweek haar blik. De meester kwam bij hun groepje staan. 'Als je het weet, mag je het zeggen, hoor.'

'Ik zei dat procent eigenlijk één honderdste deel betekende,' herhaalde Nikki die begreep dat ze er niet onderuit kwam. 'Dus drie procent is eigenlijk drie honderdste deel van iets.'

'Prima,' zei meester Kas. Zo mag ik het horen. Als

we het over procenten hebben, dan hebben we het over een bepaald deel van het geheel.'

Terwijl de meester verderging met uitleggen, boog Saartje zich naar Nikki. 'Dus jij bent ons nieuwe stuudje?'

Nikki voelde haar hart in haar keel kloppen. Geen goed begin. Nu dachten ze dat ze een uitsloofster was, terwijl ze alleen maar wilde helpen. Rekenen was zo'n beetje het enige schoolvak waar ze goed in was. Op haar vorige school hielp ze haar vriendinnen altijd met rekenen. Zij hielpen haar dan weer met taal en spelling. Dat was altijd goed gegaan. Haar oude meester had nooit wat in de gaten gehad. Nikki begreep dat ze het hier heel wat moeilijker zou krijgen. De meiden in haar groepje leken niet echt bereid om mee te werken.

'Letten we even op, dames?' De stem van meester Kas klonk geïrriteerd.

Nikki kwam als laatste het schoolplein op.

'Wie doet er mee?' Kelly zwaaide met een groot, gestreept touw. Een aantal meiden en jongens uit Nikki's klas verzamelde zich rondom haar. Nikki liep naar de groep toe.

'Wie wil draaien?' vroeg Kelly.

Niemand reageerde. Kelly knoopte een kant van het springtouw om het klimrek. 'Ja, hoor eens... Iemand moet het doen.'

'Laat Nikki draaien,' riep Saartje, die aan kwam lopen.

Nog voordat iemand kon reageren, liep Nikki naar Kelly en pakte het touw aan. 'Is goed. Ik draai wel.'

'Waarom?' riep Thijs die het er niet mee eens was. 'Saartje kwam er het laatst bij.'

'Ja,' beaamde Arkan. 'Dat is waar. Degene die het laatst komt, moet draaien.'

'Nikki is het laatste in de klas gekomen,' sneerde Saartje. 'Dus het is Nikki's beurt.'

'Dat bedoelen we niet,' riep Thijs. 'Dat weet je best.'

'Ik draai wel, hoor,' zei Nikki die nog meer gedoe wilde voorkomen. Ze was net in de klas al de mist in gegaan en ze had geen zin in gedis. 'Geeft niets,' zei ze. 'Ik ben toch niet zo goed in deze meidendingen.'

Saartje leek niet opgelucht. Integendeel. 'Oh, dus dit is een meidending?' Ze draaide zich om naar de jongens die mee wilden doen. 'Horen jullie dat? Ze vindt jullie watjes.'

'Dat zeg ik helemaal niet,' zei Nikki gepikeerd. 'Je luistert niet goed.'

'Oh, dus ik kan niet luisteren? Ik kan niet rekenen... ik kan niet luisteren... Lekker ben jij. Heb je altijd zo snel je oordeel klaar?'

'Laat maar,' verzuchtte Nikki. 'Wat doe jij moeilijk, zeg.'

'Ik... moeilijk?! Nee, nou wordt-ie helemaal mooi. Jij...'

'Kappen!' riep Thijs en hij rukte het touw uit Nikki's handen. 'Ik draai.'

Meester Kas kwam aangeslenterd met een beker koffie in zijn handen. 'Zo, lekker aan het touwtjespringen?'

'*Jumpen*,' verbeterde Arkan de meester. 'Dit heet *jumpstyle*.'

De meester glimlachte. 'Oh, neem me niet kwalijk. Wij noemden dat vroeger gewoon touwtjespringen.' Hoofdschuddend liep hij naar de andere leerkrachten die bij het hek stonden te praten.

Thijs gaf het touw een slinger en de kinderen vormden een rij. Eén voor één sprongen ze in het touw en er meteen weer uit. Aan de andere kant stelden ze zich weer op.

'Nu twee keer springen,' riep Thijs, terwijl hij het touw in zijn andere hand overnam. 'Wie af is, moet draaien.'

Stuk voor stuk doken ze in het touw en sprongen precies twee keer voordat ze er weer uit renden. Nikki sprong ijverig mee, maar het liefst was ze nu iets anders gaan doen. Achter op het plein waren wat jongens aan het voetballen. Met een schuin oog keek ze naar de bal die werd overgespeeld.

'Je kunt het best goed,' zei Janine, die achter Nikki in de rij stond.

Nikki concentreerde zich weer op het touw. 'Een wonder,' lachte ze. 'Want ik heb dit nog nooit gedaan.'

'Echt niet?' Janine keek verbaasd.

'Dit deden we nooit bij ons op school,' legde Nikki uit. 'We voetbalden liever.'

'Voetballen?' Janine bleef staan. 'Jij? Voetballen?'

Nikki knikte. 'Ik zit ook op voetbal.' Haar gezicht betrok. 'Eh... sorry... zat. Het is te ver om iedere week op en neer te reizen.'

'Ben je goed?' Mert en Dave hadden het gesprek gehoord en kwamen erbij staan. De rij schoof ondertussen op.

'Doorlopen!' riep Thijs die lamme armen kreeg van het draaien. Er was nog steeds niemand af.

'Gaat wel,' zei Nikki en ze nam een sprong. Ze sprong drie keer en rende schuin over. Het touw raakte haar schouder maar stopte niet met slingeren.

'Bijna!' riep Thijs.

Janine, Mert en Dave volgden.

'Waar speelde je?' vroeg Mert.

Saartje kwam aangesprongen. 'Laat dat kind toch met rust. Ze wordt gek van jullie geslijm.'

Mert draaide zich om. 'Doe effe normaal! Ik sta gewoon te praten, jaloerse kip.'

'Wat? Ik? Jaloers?' Saartje gooide haar rode haren naar achteren. 'Pff, wie heeft het eigenlijk uitgemaakt?'

Mert keerde zijn rug naar haar toe en wendde zich weer tot Nikki. 'Let maar niet op haar. Waar speelde je?'

'Bij vvw,' zei ze trots. 'In D1.'

Mert leek onder de indruk. Hij floot tussen zijn tanden. 'Zo... welke positie?'

'Spits, linksvoor,' zei Nikki. Ze was blij dat ze iets kon vertellen. 'Ik speel al vanaf mijn zesde.'

'Meidenvoetbal stelt toch niets voor,' zei Saartje, die de aandacht vast wilde houden.

'Ik speelde niet in een meidenteam,' zei Nikki. 'Dat was er niet. Ik speelde gewoon met de jongens mee in D1.'

'Nog zieliger,' ging Saartje verder. 'Heb je geen vriendinnen, dan?'

Nikki aarzelde. Als ze hierop inging, zou Saartje doorgaan met treiteren. Ze moest laten merken dat ze niet eindeloos met zich liet sollen. 'Eigenlijk speel ik vaker met jongens,' zei ze zacht. 'Die zijn niet zo kattig.'

Het was eruit voor ze er erg in had. De jongens begonnen te joelen. Nikki wachtte de reactie van Saartje niet af en nam een aanloop. Mert begon te tellen. 'Een, twee...'

Een flinke duw van Saartje deed hem wankelen. 'Opzij,' siste ze en ze sprong achter Nikki aan. Samen sprongen ze nu in het touw. Nikki, die niet in de gaten had dat Saartje achter haar stond, telde verder. 'Drie... vier...'

Net op het moment dat ze uit het touw wilde, bleef haar voet achter iets haken. Om haar evenwicht te bewaren maaide ze met haar armen. Die raakten het touw en Thijs stopte met draaien.

'Af!' riep Saartje.

'Allebei af,' zei Thijs. 'Jij bleef met je voet haken.'

'Expres,' riep Mert. 'Ik zag het.'

De anderen begonnen zich er ook mee te bemoeien.

'Je moet wachten tot de vorige eruit is,' zei Renske. 'Je was te snel.'

'Helemaal niet,' reageerde Saartje. 'Je mag best al eerder inspringen. Dat weet je best.'

Thijs hield het touw voor Saartjes neus. 'Jij draait.'

'Echt niet.' Saartje draaide zich om en ging achter in de rij staan. 'Als er iemand af is, dan is het onze Huntelaar wel.'

Een paar kinderen lachten. Nikki wreef over haar enkel. Het gelach klonk nu nog luider. Heel even keek Nikki naar de jongens, maar zelfs op Merts gezicht zag ze een grijns. Haar maag draaide om. Ze werd uitgelachen... en niet zo'n klein beetje ook. Een woedegolf stroomde door haar lichaam. Als ze haar niet moesten, dan niet!

Met grote stappen liep ze het schoolplein over in de richting van het schoolhek.

'Ga je nu klikken bij de meester?' sneerde Saartje die met een schuin oog naar de leraren keek die bij het hek stonden. Nikki keek niet om en liep door. Wat dacht die tuthola wel? Ze wilde hier geen seconde langer blijven. Wat een stelletje pestkoppen, zeg! In haar ooghoeken voelde ze tranen opkomen. Snel knipperde ze met haar ogen. Voor geen goud wilde ze nu haar ogen droogvegen. Niemand hoefde te zien dat ze huilde.

Met grote stappen liep Nikki naar de poort in het hek toe. Ze duwde de klink naar beneden, maar de poort zat op slot. Heel even aarzelde ze, maar toen sprong ze over het hek heen en liep de straat in.

'Hola, jongedame!' De stem van meester Kas galmde over het schoolplein. Nikki liep rustig door. Ze konden allemaal de pot op. Zelfs de meester.

'Nikki, kom onmiddellijk terug.'

Achter haar hoorde Nikki voetstappen. Voordat ze haar pas kon versnellen, voelde ze een hand op haar schouder.

'Waar gaan wij naartoe?' Meester Kas kwam voor haar staan.

'Naar huis,' bromde Nikki.

'Volgens mij is het nog lang geen tijd om naar huis te gaan.'

'Oh, jawel... de hoogste tijd,' zei Nikki en ze keek de meester brutaal aan. 'Ik blijf hier geen minuut langer.' Ze wilde zich losrukken, maar meester Kas hield haar stevig vast. Nikki keek onder de arm van de meester door naar het schoolplein. Haar gezellige klasgenootjes stonden bij het hek en keken nieuwsgierig haar kant uit.

'Wat is er gebeurd?' vroeg meester Kas.

'Niets,' antwoordde Nikki. Ze was geen klikspaan.

Meester Kas keek om naar de rest van de klas en dacht na. 'Einde speelkwartier voor mijn groep,' riep hij toen. 'We gaan terug naar de klas, ALLEMAAL!' Het laatste woord sprak hij zo luid uit dat iedereen bij het hek het kon horen.

Met boze gezichten verdween de klas van meester Kas naar binnen. Nikki en de meester stapten als laatsten de school in. Terwijl de rest van de bovenbouw nog lekker buiten speelde, ging iedereen zwijgend op zijn plaats zitten.

Nikki schoof haar stoel naar achteren, zodat ze zo ver mogelijk bij Saartje uit de buurt zat. Ze had zich nog nooit zo eenzaam gevoeld. Het gezicht van haar vader drong zich aan haar op. Heel even overwoog Nikki om te gaan huilen. Gewoon... omdat het op zou luchten. Maar de scherpe blik van Saartje weerhield haar. Dit gunde ze haar niet.

'Zo,' sprak de meester. 'En nu gaan jullie mij eens haarfijn uitleggen waarom Nikki naar huis wilde.'

Het bleef stil. Meester Kas ging zitten en strekte zijn benen. 'Ik heb de tijd. Desnoods gaan we vanmiddag door.'

'Maar dan kunnen we morgen niet oefenen!' riep Janine, die de bui al zag hangen.

'Tja, des te meer reden om snel over de brug te komen.'

Thijs keek naar Saartje, maar die zei niets. Met een triomfantelijke strakke blik keek ze terug. Hij moest het niet wagen haar te beschuldigen.

'Laat het Nikki zelf vertellen,' zei Thijs. 'Zij wilde naar huis.'

Meester Kas wendde zich tot Nikki. 'Kun je dat?'

Nikki schudde haar hoofd. Ze had geen zin om nog meer ellende over zich af te roepen. Ze zochten het maar lekker uit. Ieder woord viel toch verkeerd.

'Nikki kon er niets aan doen,' zei Mert.

Voordat hij verder kon praten, viel Saartje hem in de

rede. 'Misschien heeft ze heimwee,' opperde Saartje met een stalen blik. Achter haar klonk gegiechel van een paar meiden en ze deed er nog een schepje bovenop. 'Ja, dat kan toch?'

Janine voelde zich ongemakkelijk. Mert snoerde Saartje de mond. Hij was de enige die het voor Nikki opnam. Waarom zei niemand wat? Janine verschoof haar stoel. Ze wou dat zíj wat durfde te zeggen, maar de blik van Saartje weerhield haar.

Meester Kas krabde aan zijn kin. 'Hmm, is dat zo, Nikki? Ik bedoel, na alles wat je hebt meegemaakt...'

Nikki keek naar Saartje en toen naar de meester. 'Ja, dat zal het zijn,' zei ze zacht. Ze kon maar beter toegeven, voordat de meester de klas van alles over haar ging vertellen. Het ging niemand wat aan.

Heel even zag ze een bewonderende blik in Saartjes ogen, maar die veranderde op slag in een overwinningsgrijns.

'Goed,' zei meester Kas. 'Dat begrijp ik. Maar we spreken nu wel af dat je, wat er ook gebeurt, nooit zomaar weg kan lopen. In deze klas houden we ons aan drie belangrijke regels.'

Hij draaide het bord om en pakte een krijtje. 'Ik zal ze nog een keer opschrijven, zodat niemand van jullie ze vergeet. Wie helpt mij?'

'We zijn allemaal gelijkwaardig, niemand is de baas,' zei Janine.

De meester schreef de woorden op het bord. 'Nog meer?'

'We zijn aardig voor elkaar,' zei Renske.

Ook de tweede regel kwam op het bord te staan. 'En de laatste?'

'We luisteren naar elkaar,' zeiden een paar kinderen tegelijk.

De meester schreef het op en legde het krijtje terug in de rand van het bord. 'Denk je dat je het daarmee eens bent, Nikki?'

'Ik wel,' zei Nikki en ze wierp Saartje een strakke blik toe.

'Mooi, dan hoop ik dat je je snel thuis voelt hier in deze klas. En ik verwacht dat iedereen je daarbij zal helpen.' De meester liep naar zijn tafel en pakte een vel papier. 'Nu we toch bezig zijn met de fijne sfeer in de klas... Binnenkort is er een schoolfeest waar alle bovenbouwklassen optreden. Er zijn groepjes gemaakt en we zijn al flink aan het oefenen. Misschien is het leuk als je je bij een van deze groepen aansluit.'

De meester keek op het papier. 'Er is een goochelact, een streetdance-act, een muzikaal optreden en een acrobatiekact. Lijkt een van die dingen je wat?'

Het was doodstil in de klas. Er werd wat ongemakkelijk op stoelen heen en weer geschoven. Nikki wist dondersgoed wat er gaande was. Niemand wilde haar natuurlijk in het groepje. Logisch. Niemand kende haar. Ze wisten niet waar ze goed in was en door dat gedoe net buiten op het plein had ze niet bepaald positief gescoord.

'Misschien,' zei Nikki. Ze hoopte maar dat de meester haar niet dwong ergens aan mee te doen. 'Ik kijk wel.'

Meester Kas glimlachte. 'Dat is een goed idee. Je gaat gewoon bij alle groepjes langs als ze oefenen. Kun je zelf kijken waar je je bij aan wilt sluiten.' Hij wendde zich tot de rest van de klas. 'Dan weten jullie het: Nikki komt even kijken. Ik ga ervan uit dat jullie haar allemaal wel willen, toch?'

Er klonk wat gemompel.

'Mooi, dat dacht ik al. Dan gaan we nu over naar ons taalboek.'

Terwijl de laatjes werden opengeschoven, deelde Dave de taalboeken uit. Nikki schoof haar stoel terug naar haar tafel en pakte haar pen.

'Wat is er eigenlijk gebeurd met jou?' fluisterde Saartje nieuwsgierig. 'Waar had de meester het over?'

Zwijgend nam Nikki het nieuwe schrift aan van de meester. Ze was niet van plan ook maar iets uit te leggen.

'Ik denk dat je hier voorlopig wel goed zit,' zei de meester met een knipoog. 'Deze drie meiden kunnen je alles leren over gezelligheid, hè dames?'

HOOFDSTUK 4

'En? Hoe was je eerste schooldag?' Nikki's moeder zette een mandje met brood op tafel. Het was kwart over twaalf en Nikki was thuis om te eten.

'Gaat wel,' mompelde Nikki, die had besloten om haar moeder niets te vertellen over die gezellige klas van haar. Haar moeder had al genoeg aan haar hoofd en erger dan dit kon het toch niet worden? Vanmiddag was een nieuwe ronde met nieuwe kansen.

'Al vrienden gemaakt?'

'Ja, hoor.'

'En de meester? Die leek me wel aardig, toch?'

'Best wel.'

Haar moeder ging zitten. 'Het is voor ons allebei even wennen.'

Nikki legde een boterham op haar bord en pakte de boter. 'En hoe was het hier? Nog opdrachten binnengehaald?'

Nikki bewonderde haar moeder om haar doorzettingsvermogen. Naast haar nieuwe parttimebaan als secretaresse bij een reclamebureau schilderde haar moeder... in opdracht. Dat had ze altijd gedaan, ook toen papa nog leefde. Met de verdiensten van haar nieuwe baan erbij konden ze net rondkomen. In hun oude huis had haar moeder een heel atelier tot haar beschikking. Hier moest ze het doen met de bijkeuken. 'Maar,' had ze gezegd, 'schilderen leidt me af en geeft ons een beetje meer financiële ruimte.'

Terwijl haar moeder uitgebreid ging vertellen wat ze die ochtend allemaal gedaan had op haar nieuwe kantoor, dwaalden Nikki's gedachten af naar haar voetbalmaatjes van haar oude club. Ze miste ze. Ze miste het rennen, schieten en keten in de kleedkamers.
'Mam?' Nikki onderbrak haar moeder.
'Ja, lieverd?'
'Ik wil weer op voetbal.'
Mevrouw Bond fronste haar wenkbrauwen. 'Hier? Maar ik dacht...'
Nikki wist dat haar moeder haar liever niet meer op voetbal zag. Voetbal was iets van Nikki en papa. Papa ging iedere wedstrijd met haar mee. Ze keken ook altijd samen als er een wedstrijd op televisie was. Mama had niet zoveel met voetbal en ze wist er ook bar weinig van. Nikkie glimlachte. Papa en zij hadden mama vaak genoeg in de maling genomen. Vlak voor de verhuizing had ze haar moeder beloofd om naar een andere sport uit te kijken. 'Voetbal is

een mannensport,' had haar moeder gezegd. 'De afgelopen jaren waren leuk voor jou en papa. Je was
nog klein en je was papa's held. Maar nu is papa er
niet meer. Het zal niet meer zijn zoals vroeger, zonder papa langs de lijn. Je wordt ouder, volwassen, je
lichaam verandert. Het zal anders worden als enig
meisje tussen al die jongens.

Nikki had toen niet zoveel gezegd. Misschien had
haar moeder wel gelijk. Voetbal was inderdaad een
jongenssport. Maar ze vond het leuk. Die spanning,
de bal die alle kanten op kon, de geur van vers gras,
dat heerlijke gevoel als je getraind had... En met
jongens had je geen gezeik. Dat was met meiden-
sporten wel anders. Nikki had vroeger een blauwe
maandag op gymnastiek gezeten. Geen succes. En
dat kwam niet door de sport zelf... Nee, dat viel op
zich nog wel mee. Het waren vooral de meiden on-
derling die er een zootje van maakten met hun gekibbel, geroddel en gepest.

'Ze hebben hier ook een club,' zei Nikki terwijl ze
een hap naar binnen werkte. 'Op internet gezien.
Best goed. Ze staan derde in de competitie. De D'tjes
kunnen nog wel wat hulp gebruiken zag ik.'

Haar moeder zweeg.

'Papa zou het ook...'

'Laat papa hierbuiten!' De deksel van de boter vloog
omhoog. Nikki's moeder had haar mes laten vallen.
Nikki keek haar moeder met open mond aan.

'Sorry,' zei haar moeder en haar stem klonk rustiger.

'Dat had ik niet moeten doen. Het spijt me. Het werd me even te veel. Papa was gek op voetbal. Jij was zijn...' Ze slikte.

Nikki knikte. 'Proffie,' zei ze zacht, terwijl ze de laatste hap van haar boterham naar binnen werkte. 'Ik was zijn proffie.'

'Papa had altijd ergens de stille hoop dat je echt profvoetballer zou worden,' sprak haar moeder. 'Je was goed, zei hij altijd.'

'Een echte prof.' Nikki pakte nog een boterham. 'Ik wil gewoon heel graag weer op voetbal. Please, mam?'

Mevrouw Bond knikte. 'Regel je het zelf?'

'Yes! Tuurlijk... doe ik... meteen. Bedankt! Je bent een schat.'

'Wist ik toch!'

De schoolbel was nog niet gegaan. Nikki liep het schoolplein op. De lunch en het gesprek met haar moeder hadden haar goed gedaan.

Bij het klimrek stonden de meiden uit haar klas. De jongens waren aan het voetballen op het grasveldje. Nikki aarzelde. Als ze naar de jongens ging, zouden de meiden vast over haar roddelen. Maar als ze naar de meiden ging, zou er weer gedoe komen. Nikki koos voor het voetballen.

'Hé, mag ik meedoen?'

Thijs en Mert maaiden met hun arm. 'Bij ons.'

Dave, Arkan en Jochem stelden zich direct op voor hun doel. Het was nu drie tegen drie. Nikki kreeg

de bal voor haar voeten en was in één klap haar ge-
pieker vergeten. Behendig werkte ze de bal om Dave
en Arkan heen.

'Hier!' riep Thijs.

Nikki speelde over en rende direct door naar het
doel. 'Terug.'

Met een simpele beweging schoof de bal in het doel.
'Eén-nul.' Nikki liep met opgestoken armen terug
naar haar eigen helft. Ze voelde zich opgelucht. Dit
was goed.

'Gaaf,' zei Mert en hij keek Nikki bewonderend aan.
'Jij speelt goed.'

'Zei ik toch?' lachte Nikki.

'Je speelde toch in D1?'

Nikki knikte. 'Ja, en ik ga weer op voetbal. Ik heb
net gebeld en ik mag vanmiddag langskomen. Als ik
goed ben, mag ik bij D1 gaan spelen. Daar konden
ze nog wel een goede spits gebruiken.'

'Dan kom je bij ons,' zei Mert. 'D1... cool.'

De schoolbel ging en Nikki liep met opgeheven
hoofd langs de meiden naar binnen. Ze bracht de bal
naar de speelkorf die in de hoofdgang stond en liep
naar haar klas.

'Je kunt echt goed voetballen, hè?'

Nikki stond bij de kapstok en draaide zich om. Janine keek haar bewonderend aan. 'Mijn broers zaten
ook op voetbal. Ik ging wel eens met ze mee.'

'Zaten?' zei Nikki.

Janine knikte. 'Ze zijn een stuk ouder dan ik en ze

47

wonen niet meer thuis. Ik heb het rijk alleen! Heb jij broers of zussen?'

Nikki keek of ze de andere meiden ergens zag, maar die waren in geen velden of wegen te bekennen. Zo te zien was Janine echt in haar geïnteresseerd.

'Nee,' antwoordde Nikki en ze hing haar jas op. Ze wilde de klas in lopen, maar Janine hield haar tegen. 'Ik wilde je alleen maar even zeggen dat je je niet te veel van Saartje moet aantrekken. Ze is nu eenmaal een beetje...' Ze aarzelde en keek naar de openstaande deur.

'...een bitch?' vulde Nikki aan.

Janine schrok. 'Ssst, niet zo hard. Straks hoort ze ons.'

'Doe effe normaal,' zei Nikki. 'Ik ben heus niet bang voor die tuthola, hoor. En dat zouden jullie ook niet moeten zijn.'

Janine rechtte haar rug. 'Ik ben niet bang.'

'Hoe moet ik het dan noemen?'

'Het is meer...' Janine zweeg en keek naar de grond. 'Ik wil liever geen ruzie met Saartje. En Saar bedoelt het niet zo. Echt, als je haar beter leert kennen...'

'Daar krijg ik niet echt de kans voor.' Nikki schudde haar hoofd. 'Je zou wat meer voor jezelf moeten opkomen,' zei ze.

Samen liepen ze de klas in. Saartje en Valerie zaten al op hun plek.

'Hoi,' zei Nikki en ze ging zitten. Het gesprek met Janine had haar alleen maar sterker gemaakt. 'Lekker gegeten?'

'Ja,' antwoordde Valerie. 'Mijn moeder had tosti's gemaakt. Saartje at bij mij. Dat doet ze altijd op donderdag, omdat... AU!'

Ze wreef over haar been en keek haar vriendin boos aan.

Janine schoof aan tafel. 'Hoe waren de tosti's?'

Er viel een stilte en Janine keek onzeker van de een naar de ander. 'Zeg ik iets verkeerds?'

Nikki kromde haar tenen. Ondanks haar voornemen om niemand dwars te zitten, kon ze het niet laten om voor Janine op te komen.

'Je kunt maar beter niets zeggen,' grijnsde Nikki. Ze boog zich voorover. 'Saartje heeft last van tosteritis.'

'Tosteritis?' Janine keek verbaasd. 'Is dat erg?'

'Vreselijk,' ging Nikki verder. Ze voelde dat ze de situatie de baas was en deed er nog een schepje bovenop. Wat Saartje kon, kon zij ook. 'Die krampen, dat opgeblazen gevoel...' Nikki snoof overdreven met haar neus. 'Ruiken jullie het ook?'

Ze gaf Saartje een klopje op haar schouder. 'Geeft niets, hoor! Daar hebben we allemaal wel eens last van.'

'Ik heb nog nooit tosteritis gehad, geloof ik,' zei Janine, die wat onzeker om zich heen rook. 'Gaat het wel, Saar?'

Het gezicht van Saartje stond op onweer, maar ze zei niets.

'Laat haar maar even,' zei Nikki. 'Meestal gaat het na een tijdje vanzelf over.'

Valerie kon haar lachen bijna niet inhouden. Ze was de trap tegen haar been nog niet vergeten.

'Eén-één, Saar,' zei ze. 'Geef toe... Nikki is cool.'

Saartje gaf helemaal niets toe. Nog voordat ze iets kon zeggen, kwam de meester binnen en hij sloot de deur.

'Hadden wij niet afgesproken dat er gelezen zou worden?'

Hier en daar schoven laatjes open en kwamen er boeken tevoorschijn. Janine liet haar boek aan Nikki zien. 'Ben ik fan van,' fluisterde ze.

Nikki keek naar het omslag en herkende haar eigen lievelingsboek. Haar gezicht fleurde op. 'Ik ook,' siste ze terug. 'Er schijnt een nieuw deel uit te komen volgende maand.'

'Oh, ja? Hoe weet je dat?'

'Gelezen op de site.'

'Kan het daar in de hoek ook stil zijn?' De stem van de meester denderde door de klas. Janine dook van schrik in haar boek.

Nikki stak haar vinger op. 'Ik heb nog geen boek, meester.'

'Loop maar even naar de bieb in de hal.'

'Voetbalboeken staan onderaan,' siste Saartje.

'Dank je,' zei Nikki, die zich niet liet kennen. Tevreden liep ze de klas uit.

Na schooltijd bleven de meeste kinderen op het schoolplein hangen. Een groepje knikkerde, terwijl anderen gingen voetballen. De meiden hingen wat rond bij het klimrek.

'Hé, Niels!' Valerie zat op het klimrek en zwaaide naar haar buurjongen.

Niels kwam aangelopen. 'Wat is er?'

'Volgens Janine kun je goed zingen.'

Niels grijnsde naar Janine die er wat verlegen bij stond. 'Dank je. Het is ook een vet goed nummer.' Hij wilde teruglopen, maar Valerie sprong van het klimrek af en hield hem tegen. 'Als je nog wat extra wilt oefenen? Janine vertelde dat zij en de andere meiden van jouw groep zo in de garage wat danspasjes gaan oefenen.'

Janine probeerde wanhopig haar rode hoofd te verbergen. Wat deed Valerie nu? Hier had ze helemaal niet om gevraagd.

Niels schudde zijn hoofd. 'Nee, ik moet trainen. Heb ik al gezegd.'

'Na het trainen kan ook,' probeerde Valerie nog. Ze keek veelbetekenend naar Janine. Ze zou haar wel een beetje helpen. 'Ik breng je wel. Kan ik meteen luisteren of Janine gelijk heeft. Zij zegt dat je fantastisch kan zingen.'

'Eh... nee, dank je,' antwoordde Niels. 'Vanavond heb ik geen tijd. We gaan morgen toch oefenen op school?'

'Jawel, maar ik dacht... een keertje extra oefenen kan geen kwaad.'

Niels liep door. 'Sorry! Kun je lekker nog wat oefenen aan je goochelact.'

'Kun je lekker nog wat oefenen aan je goochelact,' piepte Valerie hem na. Niels hoorde het al niet meer. Hij had de bal overgenomen van Thijs en schoot recht op het doel af.

Er klonk gejuich toen de bal zat.

'Jongens...' mopperde Valerie. 'Totaal geen interesse in ons.' Ze stootte Janine aan. 'Had dan ook wat gezegd. Jij wilde toch graag dat hij kwam? Ik deed dit niet voor mezelf, hoor!'

'Ik ga niet lopen smeken, hoor,' zei Janine die de kleur uit haar gezicht voelde wegtrekken. 'Graag of traag.' Ze rechtte haar rug. 'En de volgende keer regel ik het zelf wel!'

Valerie en Saartje keken verbaasd.

'Nou, nou,' mompelde Saartje. 'Wat ben jij opeens flink.'

Nikki kwam de school uit gelopen. Ze had nog even gesproken met de meester over haar vorige school. Met de meeste vakken was ze redelijk bij. Alleen spelling was een probleem. De meester had voorgesteld dat Nikki wat extra hulp zou krijgen.

'Moest je nablijven?' vroeg Janine toen ze Nikki zag. Nikki kwam bij het groepje meiden staan. 'Nee, de meester wilde even weten hoe ik ervoor stond.'

'En?' Saartje keek uitdagend, maar haar stem klonk niet meer zo aanvallend. 'Hoe stond je ervoor?'

'Gaat wel.'

Nikki wilde niet te veel zeggen. Niet waar Saartje

bij was. Ze keek om zich heen. 'Wat zijn jullie aan het doen?'

'Kijken,' zei Valerie en ze schudde haar bruine bos krullen naar achteren. Haar ogen twinkelden.

'Kijken?' Nikki begreep het niet. 'Waarnaar?'

'Naar jongens natuurlijk,' grijnsde Valerie.

'Oh...' Nikki keek naar de voetballende jongens. 'Waarom?'

'Doe niet zo simpel,' zei Saartje. 'Gewoon, omdat ze leuk zijn om naar te kijken. Als we een beetje geluk hebben, rolt de bal deze kant op.'

'Ja, en?'

'Dan kunnen we ze van dichtbij bekijken, dombo.'

'Oké dan...' mompelde Nikki die de logica er nog niet echt van inzag. 'Maar dat kunnen jullie toch in de klas ook?'

'Dat is anders,' legde Valerie uit. 'Dan kun je niet zo naar ze staren zonder dat het opvalt.'

Nikki hield wijselijk haar mond. Tegen zo veel on-logica kon ze toch niet op. 'Zullen we meedoen?' vroeg ze.

'Met voetbal?' Saartje trok een vies gezicht. 'Tuurlijk niet.'

'Waarom niet?'

Er klonk geschreeuw en de bal rolde onder het klim-rek door tegen Saartje haar been aan. Niels kwam aangerend en bukte. Saartje en Valerie stapten snel opzij. Niels kroop onder het klimrek door, schoof langs Janine en pakte de bal.

'Bedankt!' riep Niels en hij spurtte weer terug naar het veldje.

'Hij raakte je aan,' piepte Saartje. Ze keek naar Janine en knipperde met haar ogen. 'Hij is op je,' stelde ze overtuigend vast. 'Dat kan niet anders.'

Janine voelde het bloed naar haar wangen stijgen.

'Hij raakte mij niet aan,' begon Valerie. Ze trok een overdreven pruillip, liet haar schouders zakken en schudde langzaam haar hoofd. 'Ik ben zooooooo jaloers!'

Janine moest lachen. 'Jullie zijn gek. Daar trap ik echt niet in, hoor. Niels pakte gewoon de bal.'

'Maar hij raakte je aan!' riep Valerie en ze sloeg haar handen tegen elkaar en keek hemels omhoog.

Nikki keek met verbazing naar het toneelstukje van de drie meiden. Valerie was een geboren actrice en ze kon zich voorstellen dat Janine in de war raakte. 'Jullie doen net of hij een besmettelijke ziekte heeft,' zei ze om Janine te helpen. 'Hij pakte gewoon de bal, hoor!'

'Doe niet zo naïef,' zei Saartje. 'Jongens doen nooit iets zomaar. Jongens geven geheime signalen af. Dat jij dat nog niet begrijpt, zeg!'

'Geheime signalen?' riep Nikki. Het moest niet gekker worden. 'Wat voor signalen?'

'Luister...' Janine sloeg haar arm om Nikki heen. 'Jongens gaan maar voor één ding...'

'Voetballen?'

'Nee, suffie... ons... meiden! Jongens doen niets anders dan onze aandacht trekken.'

'Oh, ja?' Nikki kon haar lachen bijna niet meer inhouden.

Janine fluisterde nu. 'Als je dat niet weet, zie je ze
ook niet.'

Nikki begreep niets meer van Janine. Ze had haar
toch echt verstandiger ingeschat. 'Die jongens?' vroeg
ze.

'Nee,' zei Janine. 'Die signalen.'

'Oh...' Nikki keek bezorgd. 'Is dat erg?'

'Welnee,' ging Saartje verder. 'Veel meiden zijn er
nog niet aan toe om die signalen op te pikken.'

'Jullie wel?'

Er volgde een instemmend geknik.

'Wij zijn gewoon wat verder in die dingen,' zei Saartje. 'Dat weten jongens. Daarom draaien ze ook steeds
om ons heen.'

'Ja, ja...' zei Nikki.

'Die bal rolde natuurlijk niet zomaar naar ons toe,'
ging Valerie verder.

'Nee, natuurlijk niet.' Nikki keek oprecht verontwaardigd. Als Valerie kon acteren, kon zij het ook.
'Dat deed Niels expres.'

'Zou je denken?'

'Niels is op Janine,' zei Saartje. 'Daarom raakte hij
haar aan.'

'Dat was het geheime signaal?'

Saartje knikte. 'Zie je wel? Je begint het te snappen.
Als je goed oplet, zul je steeds meer signalen gaan
zien.'

'Tjonge,' zei Nikki met ingehouden lach. 'Wat knap van jullie. Ik gebruik een heel andere manier om iets van jongens te weten te komen.'

Nikki voelde alle blikken op haar gericht. 'Ook heel effectief.'

'Vertel...' zei Janine. 'Heeft het te maken met kleur-codes?'

'Of met geheime woorden?' vulde Saartje aan. 'Ik heb wel eens ergens gelezen dat jongens ook bepaal-de woorden gebruiken als code.'

Nikki haalde diep adem. 'Dat weet ik niet, maar mijn manier is wel heel handig als je echt iets wilt weten van jongens.'

'Jij kunt inderdaad goed met jongens opschieten,' be-aamde Janine. 'Ik wil wel eens weten hoe jij dat doet.'

'Luister...' Nikki gebaarde dat ze wat dichterbij moes-ten komen. 'Wat ik altijd doe is...'

'Ja?' klonk het uit drie monden.

'Als ik iets van ze wil weten...' begon Nikki nog een keer en ze wachtte even, '...dan vraag ik het ze ge-woon.'

Er viel een stilte.

'Ja hoor!' riep Saartje toen. 'Je neemt ons in de ma-ling.'

Nikki ging rechtop staan. 'Nee hoor. Het is echt zo.' Ze keek naar Janine. 'Als je wilt weten of Niels op je is, dan vraag je het hem toch gewoon? Werkt altijd.'

Janine kreeg een kleur, maar zei niets.

'Zoiets doe je niet,' zei Valerie.

'Waarom niet?' Nikki keek oprecht verbaasd.

'Als hij dan niet op haar is, is ze het zaadje.'

Nikki haalde haar schouders op. 'Maar dan ben je wel van dat gekonkel af en weet je waar je aan toe bent. Lijkt mij beter dan dat soapgedoe hier bij het hek.'

Ze liep in de richting van het veldje. 'Moet ik het vragen?'

Janine schoot van het hek. 'Nee! Niet doen... eh... andere keer misschien.'

'Dan niet,' zei Nikki en ze rende het veld op. 'Ik doe mee!'

'Bij ons!' riep Niels. 'Linksvoor.'

Nikki zwaaide nog even naar de meiden en concentreerde zich toen op de bal. Geheime signalen... pfff, wat een meidenkul, zeg!

HOOFDSTUK 5

'Doe mij maar een waterijsje.' Saartje zat op het muurtje naast de snackbar. 'Die gele.'

Het was vroeg in de avond. Janine en Valerie liepen de snackbar in en kwamen even later naar buiten met drie ijsjes.

'Ze hadden alleen nog aardbeien,' zei Valerie. Ze overhandigde Saartje een van de ijsjes en duwde zichzelf ook op het muurtje. 'Hier zit je lekker in het zonnetje, zeg.'

Valerie strekte haar benen. 'Kijk, nieuwe schoenen. Zijn ze niet fantastisch? Vanmiddag uit school gekocht. Mijn moeder vond dat ik echt niet meer op mijn oude sneakers kon lopen. Daar had ik natuurlijk geen problemen mee. Ik vind ze werkelijk super. Die kleur... die elegantie...' Met haar armen maakte ze bewonderende gebaren.

'Je doet net of ze van goud zijn,' lachte Janine. 'Het zijn maar schoenen, hoor!'

'Ik vind ze strak.' Saartje floot bewonderend door haar tanden. 'Die blingblingrandjes...'

'Ja, leuk, hè?' zei Valerie, die blij was dat iemand het met haar eens was.

Janine gooide haar papiertje in de prullenbak en schoof naar het uiterste puntje van het muurtje. Ze had niet zoveel met schoenen. Schoenen waren om op te lopen, niets meer en niets minder. Ze kon zich niet voorstellen dat je zo uit je dak kon gaan over schoenen... of kleren. Janine moest direct denken aan de klerenkast van Valerie. Propvol... van boven tot onder gevuld met broeken, shirts, truien, rokjes, jurken, ongelooflijk! Ze had nog nooit zo veel kleren bij elkaar gezien. Daarbij vergeleken was haar eigen kledingkast een mini-uitvoering.

'Je had toch pas nog schoenen gekocht?' vroeg Janine.

'Jawel, maar die waren wit met groen... deze zijn groen met wit.'

Janine gaf het op. 'Prima plek,' zei ze. 'Prima uitzicht.' Ze gebaarde met haar ijsje in de richting van het fietspad. Een paar jongens kwamen aangefietst.

'De training is afgelopen,' merkte Saartje op. 'Ik zie Cem en Mert en...' Ze zweeg. Alle drie staarden ze naar het groepje fietsers.

'Is dat Nikki?' vroeg Valerie.

Geen van de andere twee meiden zei iets.

'Hé, hoi!' Cem liet zijn banden slippen en stapte af. Hij zette zijn fiets tegen het muurtje. De drie meiden moesten hun voeten iets optillen. De andere jongens volgden zijn voorbeeld en binnen een paar seconden was het een wirwar van fietsen onder hen.

'Zo kunnen wij er niet meer af,' riep Saartje.

'Blijf je toch lekker zitten,' lachte Mert.

'Hoog en droog,' zei Cem.

Nikki zette haar fiets tegen een boom. 'Hoi,' zei ze. De noppen van haar voetbalschoenen tikten op de tegels toen ze naar de drie meiden toe liep.

'Zit jij op voetbal?' vroeg Valerie.

'Nee, ze doet net alsof,' lachte Niels, die als laatste zijn fiets had weggezet. Hij sloeg een arm om Nikki heen. 'Ze is goed. Nooit geweten dat meiden konden voetballen, zeg! Moeten jullie ook eens doen.'

'Ik? Voetballen?' riep Janine en ze keek wat jaloers naar de arm om Nikki's schouder.

'Alleen die kleren al,' zei Saartje.

'Wat is daar mis mee?' Niels liet Nikki los en klopte wat aarde van zijn voetbalbroek.

'Niets... als je van viezigheid houdt. Jullie lijken wel een stel olifanten die door de modder hebben gerold.'

'Dat is juist gaaf,' ging Niels verder. 'Ik heb vier slidings gemaakt.'

'Geweldig,' riep Saartje met overdreven stem. 'Ik ben trots op je. Mijn avond kan niet meer stuk.'

'Ach, ga schminken.' Niels duwde Nikki in de richting van de snackbar. 'IJsje?'

'Eh...' Nikki aarzelde even. Ze keek naar de drie meiden op het muurtje, maar liep toen toch mee naar binnen. 'Ja, lekker.'

'Die griet is gek,' zei Saartje toen de hele groep jongens met Nikki naar binnen was gegaan. 'Hoe kun je er zo bijlopen?'

'Het werkt wel,' mompelde Valerie, die haar ogen nog steeds niet van haar schoenen af kon houden.

'Wat bedoel je?'

'Nou, zij is nu binnen bij de jongens. Wij zitten hier buiten... alleen,' mompelde Valerie.

Saartje haalde haar schouders op. 'Jongens moet je een beetje sturen. Dacht je nu echt dat je in een vieze voetbalbroek en een bevuild T-shirt hun aandacht trok? Welnee... Jongens houden niet van stoere meiden. Heb ik zelf gelezen in een van de laatste glossy's.'

'Echt?' Valerie keek geïnteresseerd. 'Vertel.'

'Jongens willen graag een meisje voor wie ze kunnen zorgen. Ze willen een beetje het gevoel hebben dat ze jouw held zijn. Het is de kunst voor ons om dat te spelen.' Ze stootte Valerie aan. 'Dat moet voor jou geen probleem zijn. Jij bent actrice genoeg.'

'Hoezo spelen?' vroeg Janine zich hardop af. Wat had toneelspelen te maken met jongens?

'We zijn toch niet echt hulpeloos, dummie,' mopperde Saartje. 'We doen alsof. Toneelspelen is heel belangrijk als je jongens wilt versieren.'

'En dat werkt?' vroeg Janine, die nog steeds in gedachten de arm van Niels om Nikki's schouder zag.

'Ja, stoere meiden krijgen een ijsje, sexy meiden krijgen verkering.'

'Ik had nu liever een ijsje,' mompelde Janine, die nog niet echt overtuigd was.

'Sexy?' herhaalde Valerie. 'Net zei je nog dat we hulpeloos moesten zijn.'

'Sexy en hulpeloos,' verbeterde Saartje. 'Kijk... je gedraagt je hulpeloos en je bent sexy.'

Janine zuchtte. 'Ingewikkeld gedoe. Ik ben gewoon Janine. Ik ga echt niet...'

De deur van de snackbar ging open en Niels, Cem en Nikki kwamen als eersten naar buiten.

'Let op,' siste Saartje. 'Dan zal ik het laten zien.'

Ze verschoof haar billen iets, zodat ze bijna van het muurtje af gleed. Haar voeten raakten het zadel van een van de fietsen. Met een korte tik stootte ze de fiets om, die in zijn val twee andere fietsen meenam. Met veel kabaal vielen de fietsen om.

'Ooh, help...' riep Saartje en ze hield zich heel overdreven vast aan het muurtje. 'Ik ga vallen. Mijn been... Help dan toch.'

Janine en Valerie staarden hun vriendin aan, maar bleven zitten waar ze zaten. Ze konden zelf ook geen kant op.

'Niels...' Saartje ging steeds zieliger kijken. 'Help dan toch.' Ze klauwde met haar handen over het muurtje. 'Ik glijd weg.'

Nikki bedacht zich geen seconde. Ze duwde haar ijsje in Niels zijn hand en spurtte naar Saartje toe. 'Geef me je hand.'

Nikki boog zich over de fietsen heen en probeerde Saartjes arm te grijpen.

'Jij niet!' siste Saartje. Meteen daarna jammerde ze luid dat ze nu echt bijna ging vallen.

Nikki klom op de fietsen die nog tegen de muur stonden en greep Saartjes been beet. 'Ik heb je,' zei ze. 'Nu langzaam zakken.'

Janine en Valerie konden hun lachen nog maar net inhouden. Dit was duidelijk niet wat Saartje voor ogen had gehad toen ze aan haar act begon.

'Nu springen,' zei Nikki die niets in de gaten had. 'Voorzichtig.'

Saartje schoof naar achteren. 'Dat... dat durf ik niet.'

'Ik houd je wel tegen.'

'Dat lukt nooit.' Saartje keek wat hulpeloos naar Niels, die geamuseerd stond toe te kijken.

'Sta daar niet zo te staren!' schreeuwde Saartje. 'Help liever even mee. Je ziet toch dat ik je hulp nodig heb.'

Niels kwam naast Nikki staan. 'Wat een mekkergeit, zeg! Laat haar toch lekker zitten.'

Nikki keek om. 'Help liever even mee. Vooruit, pak haar armen.'

Zuchtend gaf Niels de twee ijsjes aan Cem en deed wat Nikki hem opdroeg. Saartje liet zich gewillig voorovervallen in Niels zijn armen en even later stond ze op straat. Haar armen zaten stevig om Niels zijn nek geklemd.

'Bedankt,' zei ze zacht en haar gezicht was nu vlak bij het zijne. 'Zonder jou was dit nooit gelukt.'

Niels wilde haar loslaten, maar Saartje verplaatste haar gewicht. 'Au, mijn enkel.'

Ze leunde met haar hoofd op Niels zijn schouder. 'Ik geloof dat ik mijn enkel verzwikt heb.'

Nikki liep naar het terras en pakte een stoel weg. 'Hier,' zei ze. 'Ga maar even zitten.'

Niels liet de hinkende Saartje in de stoel zakken en pakte zijn ijsje over van Cem. Ook Nikki kreeg haar ijsje weer terug.

'Dank je wel,' zei Saartje en ze wreef over haar enkel. 'Ik ben blij dat jij in de buurt was, zeg. Zonder jou was het vast verkeerd afgelopen.'

'Stukje hulpeloos,' fluisterde Valerie tegen Janine.

'Nu komt het stukje sexy,' vervolgde ze en ze keek nieuwsgierig hoe Saartje dit verder ging spelen.

'Het was toch je linkerenkel?' Nikki keek oprecht bezorgd. 'Je wrijft nu over je rechterenkel. Gaat het wel?'

Heel even was Saartje van haar stuk gebracht. 'Eh... ja... ze doen allebei zeer. Ik denk niet dat ik naar huis kan lopen. Misschien kan iemand mij naar huis brengen?'

Ze keek verwachtingsvol naar Niels, maar die had totaal geen aandacht meer voor haar. Hij stond druk te praten met Cem en Mert.

'Ik wil je wel naar huis brengen,' zei Nikki, die zo snel ook niets anders kon bedenken. 'Je kunt bij mij achterop.'

Saartje beet op haar lip. 'Ik denk niet dat jouw fiets sterk genoeg is.'

'Zo zwaar ben je toch niet?' reageerde Nikki verbaasd. 'Mijn bagagedrager is...'

'Liever niet,' viel Saartje haar in de rede. 'Bedankt.'

'Dan niet,' zei Nikki beledigd. Ze draaide zich om en ging bij het groepje jongens staan. Ze had haar best gedaan. Wat was die Saartje een ondankbare tut, zeg! Hoe behulpzaam moest ze zijn om Saartje wat vriendelijker te krijgen? Nikki had zich, na het leuke gesprek met Janine, voorgenomen om Saartje nog een kans te geven, maar daar had ze nu spijt van. Ze was vastbesloten om zich niets aan te trekken van het nega-gedrag van Saartje. Dat gunde ze haar niet.

Janine en Valerie klommen van het muurtje af en liepen naar Saartje toe.

'Nu snap ik wat je bedoelt,' hikte Valerie.

'Hulpeloos, sexy... en te zwaar,' grijnsde Janine. 'Missie geslaagd.'

'Ik ben nog niet klaar,' siste Saartje.

'Hé!' Cem stak zijn hand op naar de jongen die de stoep op fietste. Met piepende banden kwam de fiets tot stilstand. Saartje, Valerie en Janine staarden naar de jongen die behendig van zijn fiets af sprong en met zijn vingers door zijn blonde haren streek.

'Dat is Myren,' fluisterde Valerie.

'Dat zie ik ook wel!' mompelde Saartje.

'Wat doet die hier?' vroeg Janine.

Myren zette zijn fiets tegen een stoel op het terras.

'Ook een ijsje?' vroeg Arkan.

Myren knikte. 'Dat hebben we wel verdiend.'

'We?' mompelde Saartje. Haar ogen schitterden toen ze Myren dichterbij zag komen. Ze boog voorover en wreef over haar enkel. Net op het moment dat Myren langs haar wilde, strekte ze haar been en ze stootte met haar voet tegen Myrens been aan.

'Au! Au!' Saartje greep de leuningen van de stoel vast en keek zo zielig mogelijk.

'Oh, sorry,' zei Myren en hij keek bezorgd naar haar been. 'Deed ik je pijn?'

Saartje knikte en verzette haar been. 'Gevallen...' Ze wees naar het muurtje. 'Van dat muurtje daar. Ik ben bang dat ik niet meer naar huis kan lopen.'

'Vervelend voor je,' zei Myren en hij wilde doorlopen.

'Misschien kun jij mij naar huis brengen?' Saartje glimlachte en wees naar de brede bagagedrager achter op Myrens fiets. 'De anderen hebben allemaal van die wiebelige bagagedragers... dat is niets als je zo'n pijn hebt.'

Myren aarzelde. 'Nou, eh... Dat gaat echt niet. Zo stevig is mijn fiets nu ook weer niet. Kan ik je ouders bellen?' Hij pakte een mobiel uit zijn broekzak.

'Eh... nee. Laat maar,' zei Saartje. 'Mijn ouders zijn niet thuis.'

'Iemand anders dan? Iemand met een auto?'

Saartje schudde haar hoofd. 'Nee, dank je. Ik regel zelf wel wat.'

Myren liep door.

'Je maakt er wel een heel drama van,' siste Janine. 'Denk je echt dat dit...'

'Let nou maar op,' zei Saartje. 'Uiteindelijk zijn jongens heel gevoelig voor dames in nood.'

Zwijgend keken ze naar de groep ijs etende jongens. Nikki stond met Myren te praten en lachte.

'Nikki is wel goed,' zei Janine die steeds meer bewondering voor haar nieuwe klasgenootje voelde. Ze was best een beetje jaloers op Nikki's nuchtere houding. Zij liet zich niet gek maken door Saartje. Durfde zij maar zo te zijn als Nikki.

'Ik ben ook goed,' mompelde Saartje.

'In toneelspelen, ja.' Janine schrok van haar bitse toon, maar ze begon het een beetje zat te worden. 'Tot nu toe heeft jouw methode niet echt effect gehad,' ging ze verder. Iemand moest Saartje toch vertellen dat ze te ver ging?

'Zoiets gaat niet meteen,' verdedigde Saartje zich. 'Daar is tijd voor nodig.'

'Hmm, voor mijn dertigste zou wel fijn zijn.' Janine voelde haar lichaam gloeien toen ze merkte dat Saartje overbluft was door haar reactie. Dit voelde goed. Zie je wel dat ze het kon. Janine dacht aan haar twee broers die haar zo konden plagen. 'Angsthaasje' hadden ze haar altijd liefkozend genoemd en Janine had zich er al die jaren bij neergelegd. Ze was nu eenmaal geen durfal. Nikkie wel. Nikki durfde gewoon zichzelf te zijn en trok zich niets aan van een ander.

Janine voelde dat ze dat ook wilde. Ze rechtte haar rug. Ze had geen spijt van haar opmerkingen. En dit was nog maar het begin.

'Doe toch niet altijd zo negatief,' riep Saartje kattig. 'En trouwens... jullie doen zelf helemaal niets. Ik ben hier degene die steeds de kar trekt. Jullie hobbelen lekker mee.'

Janine stond op. 'Dan stappen we toch lekker uit de kar!' Haar ogen schoten vuur. 'De groeten! Ik heb het gehad met jouw gezeur!'

Ze wilde weglopen, maar op dat moment klonk er gejuich. Myren keek op zijn horloge. 'Over een kwartier bij mij?'

Een paar jongens stoven al naar hun fiets.

'Ik haal nog even een patatje en dan kom ik,' riep Myren. 'Wie heeft de bal?'

'Wat gaan jullie doen?' vroeg Saartje nieuwsgierig toen de jongens hun fietsen pakten.

'Wat drinken,' riep Cem.

'Bij Myren thuis,' vulde Arkan aan.

'Waarom?'

'We kunnen nog kampioen worden,' legde Mert uit. 'We gaan overleggen, onze tactiek bespreken.'

'Ja... en?' Saartje keek haar klasgenootjes vragend aan. 'Wat heeft Myren daarmee te maken?'

Nikki pakte haar fiets. 'Hij is onze spits.'

'Wat?' Saartje ging rechtop zitten. 'Zit Myren ook bij jullie in het team?'

Nikki knikte. 'Hij en ik zijn allebei nieuw. We hebben vanavond voor het eerst meegetraind. Hij is best goed.'

Wat jaloers keken de drie meiden naar Nikki.

'Myren zat toch op karate?' zei Saartje. 'Daar heeft hij vorig jaar nog een spreekbeurt over gehouden.'

'En een demonstratie,' grijnsde Valerie. 'Hij had juf Ellen goed te pakken. Ze heeft dagen met een blauw oog rondgelopen.'

Nikki haalde haar schouders op. 'Dat weet ik niet. Myren en ik hadden ons toevallig allebei van de week opgegeven. De trainer heeft ons allebei in D1 gezet.'

'Ga jij ook mee naar Myren?' vroeg Saartje.

'Tuurlijk gaat ze mee,' zei Myren die net naar buiten kwam lopen. Hij propte een patatje in zijn mond. 'Willen jullie soms ook mee?'

Er werd heftig geknikt. Saartje was op slag haar boze bui vergeten. Wat een vraag. Met Myren mee naar huis, wie wil dat nou niet?

'Moeten jullie ook op voetbal komen,' lachte Mert, die het gesprek gehoord had.

'Niet zo flauw, Mert,' zei Myren. 'De dames kunnen best mee. Alleen...' Hij keek peinzend naar de enkel van Saartje. 'Ik denk niet dat het gaat. Ik woon op de vierde etage en er is geen lift. Dat lukt nooit met die enkel.'

Saartje bewoog haar voet. 'Oh, maar het gaat al stukken beter, hoor.'

Ze ging staan en hief haar armen. 'Zie je wel? Het valt mee.'

Saartje wilde naar haar fiets lopen, maar Myren schudde zijn hoofd. 'Het is beter van niet. Het lijkt me beter als je naar huis gaat en je enkel even rust geeft. Volgende keer, goed?'

'Ze weten toch niets van voetbal!' schreeuwde Thijs nog.

Myren knikte naar Janine en Valerie. 'Jullie kunnen natuurlijk wel mee...' Hij dacht na. 'Of nee, natuurlijk niet. Jullie blijven liever bij je vriendin, denk ik?'

Nog voordat een van de meiden kon reageren, had Myren zijn fiets gepakt en stoof hij de weg op.

'Tot morgen,' riep Nikki en ze fietste achter de groep jongens aan. Even later was iedereen verdwenen en was het stil op het terras.

'Fantastisch,' riep Valerie. Boos liet ze zich op een stoel vallen. 'Jij ook altijd met je eigenwijze...'

Saartje liet haar vriendin niet uitpraten. 'Geef mij maar weer de schuld. Lekker makkelijk.'

'Het is toch jouw schuld. Als jij niet zo raar had gedaan met die enkel, dan hadden we nu mee gemogen.'

'Dat is zo.' Janine nam het voor Valerie op. 'Jij denkt altijd dat je het beter weet. Zonder iets met ons te overleggen doe jij dingen.' Janine voelde haar wangen gloeien, maar het voelde goed om eens tegen Saartje in te gaan. En aan het verbaasde gezicht van Saartje te zien, werkte het ook nog. 'Wij zijn er ook nog, hoor! Het zou fijn zijn als we de dingen samen doen.'

Saartje mokte wat. 'Rustig maar, hoor... Zo erg is het toch ook weer niet?' Ze draaide zich om en liep naar haar fiets. 'Nikki is hier net,' mompelde ze. 'En ze heeft alle aandacht van de jongens. Hoe doet die meid dat toch?'

HOOFDSTUK 6

Meester Kas deelde de rekenschriften uit. 'Na de re-kentoets gaan we oefenen voor het schoolfeest.'

'Laat geworden gister?' fluisterde Janine. Ze keek Nikki vragend aan.

'Gaat wel,' antwoordde Nikki.

'Was het leuk?' Valerie nam geen genoegen met het korte antwoord van Nikki.

De meester legde vier schriften op Saartjes tafel neer. 'Feestje gehad, Nik?'

'Zoiets,' mompelde Nikki. Ze had geen zin om uit te leggen dat het helemaal geen feestje was geweest, maar een bespreking over voetbal.

De meester liep door.

'Vertel,' drong Saartje aan. 'Hoe was het bij Myren thuis?'

'Gewoon.'

'Hoe gewoon... vertel nou.'

Nikki haalde haar schouders op. Hier had ze dus helemaal geen zin in. Ze voelde heus wel dat Saartje niet in haar geïnteresseerd was maar in Myren. 'Waarom zou ik jou iets vertellen?'

Saartje fronste haar wenkbrauwen. 'Oké, oké, het spijt me dat ik soms wat lullig deed tegen je. Zo goed? Vertel nou...'

'Er valt niets te vertellen,' zei Nikki, die de spijtbetuiging van Saartje wel erg magertjes vond. Maar aan de blije gezichten van Valerie en Janine zag ze dat die het als een overwinning zagen. 'We hebben wat gedronken, gepraat en toen gingen we weer naar huis.'

'Lekker saai ben jij, zeg,' zei Saartje. 'Bied ik je daarvoor mijn excuses aan? Heb je niet iets smeuïgers? Besef jij wel waar je gisteren was?'

Nikki wiebelde met haar stoel naar achteren en keek onder de tafel naar Saartjes been. Ze wilde de aandacht afleiden. 'Hoe gaat het met je enkel?'

Saartje schoof haar benen verder onder tafel. 'Goed, gaat wel...'

'Jammer dat jullie niet mee konden gister,' vervolgde Nikki, die blij was dat het gezaag over Myren was gestopt.

'Zal wel,' reageerde Saartje. Ze liet duidelijk blijken dat ze het medeleven van Nikki niet vertrouwde.

De meester vroeg om stilte en ze sloegen hun schrift open. Drie kwartier lang mocht er niet gesproken worden. Iedereen begon aan zijn werk.

Na een tijdje viel het Nikki op dat Saartje naast haar nog weinig opgeschreven had. Er stonden pas drie antwoorden in haar schrift. Saartje keek gespannen en haar vingers gingen langzaam op en neer. Haar lippen bewogen, alsof ze telde.

Nikki aarzelde. Ze kon Saartje natuurlijk helpen... Of moest ze haar maar gewoon laten aanmodderen? Net goed. Nikki keek naar het verbeten gezicht van Saartje. Er was niets meer over van de stoere, zelfverzekerde Saartje.

Nikki schoof haar schrift iets opzij, zodat Saartje de antwoorden goed kon zien. Met een boos gebaar duwde Saartje het schrift weg en sloeg haar arm om haar eigen schrift heen. 'Ik kan het heus wel, hoor.'

'Dames!' De stem van de meester klonk streng. 'Monden dicht!'

Zonder zich nog met Saartje te bemoeien maakte Nikki haar sommen af. Als eerste bracht ze haar schrift naar de meester.

'Uitslover,' mompelde Saartje, die nog maar halverwege was.

Na de pauze was het een stuk rumoeriger in de school. De bovenbouwklassen verspreidden zich over de lege ruimtes in de school om te oefenen voor het schoolfeest.

'En er wordt serieus geoefend,' riep de meester toen de groepen zich verzamelden. 'Het groepje van Janine mag naar de hal waar de piano staat. Het groepje van Saartje kan naar de kleutergymzaal. Leg wel matten neer.'

Nikki zat op haar stoel en keek naar buiten. Het geroezemoes in de klas werd minder. Steeds meer kinderen verlieten de klas.

'Zo,' zei de meester, toen alle kinderen de klas verlaten hadden. 'En nu jij, dame.'

Nikki draaide zich om.

'Zoals afgesproken ga jij nu alle groepjes even af,' vervolgde de meester. 'Er zijn zo veel verschillende soorten acts. Kijk maar of er iets voor je bij zit.'

'Oké,' zei Nikki. Ze had eigenlijk helemaal geen zin om mee te doen, maar dat zei ze niet.

'Heb je al een idee?' vroeg de meester.

Nikki schudde haar hoofd.

'Nou,' zei de meester. 'Ga lekker de school door en kijk bij wie je je aan kunt sluiten.'

De meester liep naar zijn tafel. 'Kom het wel even zeggen als je je keuze hebt gemaakt, dan noteer ik dat in het schema.'

Hij ging zitten en pakte het eerste rekenschrift om na te kijken. 'Veel succes!'

Nikki stond op en schoof haar stoel aan. Langzaam liep ze de klas uit. Het liefst was ze nu in rook opgegaan. Fffft en weg... niemand die haar zou missen. Nikki voelde de bui al hangen. Niemand stond te springen om haar erbij te halen. En eerlijk gezegd had ze sowieso geen zin om een beetje lollig te gaan doen op een podium. Haar gezicht zag er dan misschien vrolijk uit... vanbinnen zat er nog een berg tranen. 's Avonds, als ze alleen in haar bed lag, mochten ze eruit. Urenlang kon ze huilen, soms wel tot midden in de nacht. Alle herinneringen aan haar vader, de dingen die ze samen deden, hun gesprekken... Ze beleefde ze keer op keer en het verveelde niet eens. Nikki verbaasde zich erover dat ze zo veel tranen had. De handdoek op haar kussen zorgde ervoor dat haar kussen droog bleef. Nikki wilde het haar moeder niet nog moeilijker maken dan het al was. Natuurlijk praatte ze veel met haar moeder over hun verdriet. Dat voelde ook goed; het luchtte op en ze konden zelfs samen lachen om gekke herinneringen. Maar soms was het beter om alleen te huilen.

Op de gang stonden vier kinderen die Nikki niet kende. Ze waren bezig met een lang elastiek. Twee kinderen stonden met gespreide benen in het elastiek. De andere twee maakten sprongen waarbij ze het elastiek steeds met hun voeten meenamen. Nikki liep door. Elastieken was nu niet bepaald haar lievelingssport. En ze moest toch een groepje uit haar eigen klas kiezen.
In het knutsellokaal zag ze Valerie met Thijs, Dave, Puk en Mirjam. Nikki liep het lokaal in. 'Hoi,' zei ze. Niemand keek op. Valerie was druk bezig om de hoge hoed precies goed op het kleine tafeltje te krijgen en de anderen keken of het tafelkleed niet weggleed.
'Die hoed moet precies op dat gat,' zei Puk.
'Ja, maar dat kleed mag niet verschuiven,' zei Valerie. 'Anders past dat konijn er nog niet door.'

Nikki kwam dichterbij. 'Hoi,' zei ze nu iets luider.

Mirjam keek op. 'Oh... hoi.'

'We zijn bezig met een goochelact,' legde Valerie uit.

'Dat zie ik,' zei Nikki. 'Waar is het konijn?'

'Dat is er nog niet. Ik neem hem pas mee op de avond zelf. Anders is het zo zielig.'

'Ja, dat begrijp ik. Lukt het?'

'Nee,' riep Thijs. 'Niet echt!'

Nikki liep naar de tafel en pakte het kleed. 'Als je nu knijpers gebruikt,' zei ze, 'dan verschuift het kleed niet meer.'

'Lekker sloom,' zei Puk. 'Dat zien ze toch?'

'Aan de binnenkant,' legde Nikki uit. 'Je kunt ze aan de binnenkant van het kleed vastklemmen. Ziet niemand.'

'Goed idee,' riep Thijs. 'Hebben we knijpers op school?'

'In de kleuterklassen misschien?' opperde Nikki. 'Daar hangen ze de tekeningen met knijpers op. Zal ik er een paar halen?' Ze probeerde haar stem zo rustig mogelijk te laten klinken. Ze had in ieder geval de aandacht getrokken.

'Ja, doe maar,' zei Valerie. 'Dan kunnen wij verder met oefenen.'

'Ik loop wel even mee,' zei Thijs.

Samen liepen ze door de gang naar de kleuterafdeling. Thijs kreeg twee knijpers mee van juf Linda en Nikki nog drie van meester Jorge. Even later waren ze weer terug in het knutsellokaal.

Behendig maakte Thijs het kleed vast. 'Goed idee!' Hij keek triomfantelijk naar de hoge hoed die nu precies op de goede plek bleef staan. 'Zo moet het lukken.'

Nikki bleef kijken hoe het groepje de goochelact oefende. Op een paar slordigheidsfoutjes na lukte de truc met de hoge hoed prima. Valerie deed net of ze een konijn uit de hoed tevoorschijn toverde en maakte een buiging. Haar bewegingen waren een tikkeltje overdreven, maar met goochelacts moest je altijd een beetje overdrijven, vond ze. Valerie was een geboren actrice. Nikki applaudisseerde. 'Bravo... goed gedaan.' Valerie glimlachte, maar zei niets. Ook de anderen zwegen. Er viel een beladen stilte. Nikki voelde de spanning en keek op haar horloge. 'Nou, dan ga ik maar weer eens verder,' zei ze, hopend dat iemand haar zou uitnodigen mee te doen.

'Ja,' mompelde Valerie die zich niet zo goed raad wist met de situatie. 'Dat is goed. Dan oefenen wij het zaagnummer nog even.'

Heel even aarzelde Nikki, maar toen liep ze het knutsellokaal uit. Ze was echt niet van plan om te smeken of ze mee mocht doen. Als ze haar niet wilden... dan niet!

Bij de deuropening hoorde ze gefluister achter haar. Nikki draaide zich om. 'Zeiden jullie wat?'

'Eh... wij vroegen ons af...' begon Valerie. Ze wachtte even en keek naar Thijs. 'Eh... niets. Laat maar. Succes, hè!'

Nikki liep de klas uit. Ze kon zichzelf wel voor de kop slaan. Waarom had ze niet gewoon gevraagd of ze mee mocht doen? Nu leek het net of ze niet wilde. Valerie had het zo te zien ook niet goed geweten. Had ze haar willen vragen om mee te doen? Valerie was best aardig. Een aanstelster, maar wel een leuke aanstelster. Nikki glimlachte en mompelde: 'Volgende maar proberen.'

Er klonk muziek uit de kleutergymzaal. Nikki keek door het kleine raam naar binnen. Saartje, Renske, Eva en Zora waren druk bezig met het verschuiven van matten.
Nikki aarzelde. Saartje was nu niet bepaald haar favoriete klasgenoot. Zou ze naar binnen gaan? Heel even keek Nikki naar de anderen uit het groepje. Dat waren stuk voor stuk prima meiden. Niets mis mee.
Nikki duwde de deur open en liep naar binnen. 'Zal ik even helpen?'
Saartje keek op. 'Eh... ja, is goed.' Ze wees naar het rek met matten in de hoek van de gymzaal. 'Wil jij die allemaal even hier op een rij leggen? Dan kunnen wij vast beginnen met de choreografie. Scheelt weer tijd.'
Terwijl Nikki de matten één voor één naar hun plek sjouwde, overlegden de andere meiden hun danspassen.
'Als ik nu de soloact voor mijn rekening neem,' stel-

de Saartje voor. 'Dan weten we zeker dat het goed gaat.'

Niemand reageerde.

'Mooi, dat is dan afgesproken. Renske, jij kunt nog even oefenen op die basics. Eva en Zora, willen jullie de lift goed inoefenen? Het lijkt me verstandig als...'

'Ik wil eigenlijk ook wel een keer de solo,' viel Eva haar in de rede.

Saartje keek verbaasd. 'Hoezo? Ik doe toch ieder jaar de solo?'

'Ja, daarom juist. Het lijkt me leuk als een ander ook een keer de solo doet. Variatie in de keuken, zeg maar.'

'Variatie, variatie... We willen toch winnen?' zei Saartje een beetje gepikeerd. 'Met variatie kom je niet ver. Het gaat erom dat we winnen.'

De anderen zwegen.

'Mooi!' Saartje glimlachte. 'Ik ben blij dat jullie het met mij eens zijn.' Ze liep naar de cd-speler die in de hoek stond. 'Ik heb een te gek nummer uitgekozen.' De muziek schalde door de ruimte.

'Lekker nummer,' zei Nikki die de laatste mat sjouwde. 'Heb ik ook.' Ze probeerde zo luchtig mogelijk te doen, maar ze was niet van plan om slaafje te blijven.

Saartje reageerde niet. Ze liep terug naar de matten. Nikki veegde wat zweet van haar voorhoofd. De laatste mat lag op zijn plek. 'Ik heb wel een idee.

Jullie kunnen ook allemaal een solo doen,' hijgde ze.
'Ik heb laatst een optreden gezien van...'

Haar woorden verdwenen in de keiharde discobeat
die door de gymzaal denderde. Saartje had de cd-speler keihard gezet en liep terug naar de groep. 'Hoe
vinden jullie dit nummer?' riep ze boven het geluid
uit.

'Nikki had een goed voorstel,' riep Eva.

'Wat zeg je?'

'Nikki had...' Eva liep naar de cd-speler en zette het
volume wat zachter. 'Nikki had een goed voorstel.'

Saartje fronste haar wenkbrauwen.

'We kunnen allemaal een solo doen,' ging Eva verder. 'Om de beurt.'

Nikki was blij dat Eva het voor haar opnam, maar
het gezicht van Saartje voorspelde niet veel goeds.

'Geen goed idee,' bromde Saartje. 'Met de choreografie komt dat rommelig over.'

Nikki liet zich niet zomaar afwimpelen. 'Nee, hoor!
Ik heb vorig jaar een optreden gezien op mijn oude
school van een te gekke streetdancegroep. Ze dansten allemaal solo, maar plakten de acts met geza-
menlijke sprongen aan elkaar. Het zag er heel top
uit...'

'Ik zit al jaren op streetdance,' viel Saartje uit. 'Dus
ik kan het weten. Zoiets is not done.'

Nikki haalde haar schouders op. 'Het was maar een
idee.'

'Ik vind het wel een goed idee,' zei Eva.

'Ja,' zei Zora. 'Die passen uit dat nummer van vorige keer. Die kunnen we ombuigen en invoegen in deze act. Als we nu...'

'Geen sprake van,' viel Saartje haar in de rede. 'We doen het op mijn manier, anders doe ik niet meer mee. Dan bekijken jullie het maar.'

Ze keek haar klasgenoten uitdagend aan. Nikki zag Eva, Zora en Renske twijfelen. Zonder Saartje zouden ze veel minder kans maken op de eerste prijs. Oh, wat was die Saartje toch een bazig kreng. Kon ze nou nooit een keertje toegeven?

'Dat is gemeen,' probeerde Eva nog, maar haar woorden kwamen niet overtuigend over.

'Take it or leave it,' zei Saartje.

Nikki begreep dat ze hier overbodig was. Stel dat ze zou meedoen met dit groepje, dan zou dat alleen maar meer geruzie geven. 'Zoek het lekker uit, ja! Ik wilde alleen maar helpen.'

Ze draaide zich om en liep de gymzaal uit. Snel sloot Nikki de deur achter zich. Voor geen goud wilde ze met dit groepje meedoen.

Nikki hoorde de stem van Janine door de gang schallen. De muziek op de achtergrond klonk vrolijk. Nieuwsgierig liep Nikki naar de oefenruimte waar Janine en haar groepsgenoten hun lied aan het repeteren waren. In de deuropening bleef ze staan.

Janine stond op een klein podium met een speelgoedmicrofoon in haar handen. Niels stond naast haar met net zo'n microfoon in zijn handen en be-woog zijn lichaam op de beat van de muziek. Nance, Joyce, Claire en Kelly stonden in een rij op de achtergrond en zongen de achtergrondpartij.

'Oe oe... Aa aa...' Hun lippen bewogen synchroon.

Arkan zat achter een drumstel en tikte het ritme mee. Janine liet haar laatste toon langzaam wegster-ven en Niels nam het over. Nikki was onder de in-druk. Dit klonk echt mooi. Nadat Niels zijn solo had gezongen, viel Janine in en samen zongen ze het slotstuk. Alle stemmen pasten bij elkaar en de be-geleiding van Arkan klonk geweldig. Nikki voelde kippenvel op haar armen opkomen. Dit was gaaf.

De muziek op de band stopte, Arkan gaf een laatste slag op het bekken... en toen was het stil.

De handen van Nikki gingen als vanzelf op elkaar en ze begon te klappen. 'Te gek... echt heel super!'

Niels liet zich op het randje van het podium zakken. 'We hebben in ieder geval één fan.' Hij legde zijn microfoon neer. 'Straks krijgen we echte microfoons. Dan klinkt het nog beter.'

Nikki liep naar het podium. 'Ik wist niet dat jullie zo mooi konden zingen.'

De meiden van het achtergrondkoor kwamen ook op de rand van het podium zitten. Janine bleef staan en keek wat argwanend naar Nikki, die nu dicht bij Niels stond.

'Ach... het klinkt aardig.' Niels glimlachte. 'Maar bedankt voor je compliment.

'Echt... je zong super.' Nikki pakte de plastic micro-foon op. 'Ik denk niet dat ik dat zou kunnen... of durven,' zei ze zacht. Ze duwde de microfoon tegen haar lippen. 'Test... test...'

Niels grijnsde. 'Zing eens wat.'

'Wie? Ik?'

'Ja, als het goed klinkt, kun je misschien met ons groepje meedoen.' Hij draaide zich om naar de anderen. 'Toch, jongens?'

Er klonk wat gemompel. Janine was naar de rand van het podium gelopen en hurkte achter Niels. Ze legde haar hand op zijn schouder. Haar ogen schoten vuur.

'Ik weet niet...' begon Nikki die de felle blik in Janine haar ogen zag. Het was overduidelijk dat Janine jaloers was. Nikki deed een stap naar achteren, zodat ze iets verder bij Niels vandaan kwam te staan. 'Misschien is het beter als...'

Maar Niels liet haar niet uitspreken, sprong het podium af en liep naar de cd-speler. 'Ik start de muziek en dan zing je gewoon een stukje mee. Ken je het nummer?'

Nikki knikte. 'Jawel, maar...' Ze keek naar Janine die zich nog steeds niet ontspannen gedroeg.

'Komt-ie!'

De ruimte vulde zich met het intro en Nikki haalde diep adem. Als ze mee wilde doen, dan moest ze nu laten horen dat ze kon zingen. Ze concentreerde zich op de muziek en deed haar ogen dicht. Het was een karaokeversie, dus ze moest goed opletten wanneer ze moest invallen.

Net op het moment dat ze haar mond opendeed om te beginnen, stopte de muziek. Nikki deed haar ogen open. 'Wat...'

Janine stond bij de cd-speler. 'Ik denk niet dat Nikki dit leuk vindt,' zei ze tegen Niels. 'Je kunt haar toch niet zomaar in haar eentje laten zingen?'

'Waarom niet?'

'Misschien kan ze wel helemaal niet zingen.'

'Dan horen we dat vanzelf, toch?'

Janine schudde haar hoofd. 'Ik denk dat Nikki liever met iets anders meedoet. Deze act is al helemaal ingestudeerd. Er is een achtergrondkoor, wij zingen de solo's... wat zou ze moeten doen dan?'

'Weet ik veel. Daar gaat het niet om. Ik wil gewoon horen of ze kan zingen.'

'Denk toch eens na, man! Zoiets...'

'Mag ik ook even wat zeggen?' Nikki kwam tussen Janine en Niels in staan. 'Tenslotte hebben jullie het over mij.'

Niels en Janine zwegen. Nikki zuchtte. Bij Valerie haar groepje had ze het zelf verknald, bij de groep van Saartje wilde ze niet. En net nu ze dacht dat ze zich bij Janine haar groepje wel prettig zou voelen, moest ze kiezen tussen meedoen of Janine. Janine wilde Niels voor zichzelf en zag Nikki duidelijk als concurrent.

'Ik bepaal zelf wel of ik wil zingen of niet,' zei Nikki. Ze wilde Janine niet kwijtraken. Zij was de enige die het af en toe voor haar opnam. Dan maar niet meezingen.

Janine beet op haar lip. 'Ik wilde alleen...'

'Het geeft niet,' viel Nikki haar in de rede. 'Ik begrijp je wel.' Ze keek naar Niels en glimlachte. 'Jullie zijn een prima koppel. Daar kom ik echt niet tussen, hoor!'

Janine kreeg een kleur.

Niels drukte de muziek weer aan. 'We beginnen opnieuw.'

Nikki schudde haar hoofd. 'Nee, laat maar. Ik moet weer verder. Janine heeft gelijk. Jullie act is perfect. Daar moet ik niet meer tussenkomen.'

Ze gaf Janine een knipoog. 'Succes.' Naar Arkan stak ze haar duim op. 'Je kunt lekker drummen. Ik heb thuis ook een drumstel, maar ik speel al een tijdje niet meer. Niet sinds...' Ze stokte, keek even naar de grond maar herwon zich snel. 'Zet 'm op!'

'Doen we,' zei Arkan. 'Misschien kun je mee drummen?'

'Nee, bedankt.' Nikki draaide zich om en liep naar de deur. Terwijl ze de gang op liep, hoorde ze de muziek weer starten. Wat verloren liep Nikki langs de kapstokken. Nu had ze nog geen groepje gevonden waar ze mee mocht doen.

'Hé, Nikki!' De stem van meester Kas galmde door de gang. 'Hoe gaat het?'

'Goed.' Nikki forceerde een glimlach.

'Echt?'

'Ja hoor. Prima... kan niet beter.'

De meester fronste zijn wenkbrauwen. 'Dat klinkt ietsje te overdreven.'

Nikki haalde haar schouders op. 'Ach, het ligt niet aan hen... De acts zijn gewoon al te ver ingestudeerd. Het is gewoon moeilijk om mij nog ergens tussen te proppen. En ik ga niet voor spek en bonen meedoen.'

'Hmm, misschien kunnen we iets regelen bij het groepje van Myren? Die doen iets met acrobatiek. Ballen hooghouden, borden op stokjes laten draaien... dat soort dingen. Lijkt je dat wat? Zo'n act bestaat uit allemaal losse onderdelen, dus daar kan wel iets van jou tussen.'

Nikki's gezicht betrok. 'Ik? Bordjes draaien? Nou, ik weet niet of ik dat wel kan.'

'Gewoon proberen,' grijnsde de meester. Hij duwde Nikki in de richting van de grote hal. Op het moment dat ze de klapdeuren openduwden, hoorden ze gerinkel.

Ze liepen de hal in en zagen Myren en Malin ontzet naar de scherven op de grond staren.

'Oeps,' zei meester Kas. 'Dat was een bordje.'

'Het derde al vandaag,' mopperde Malin. 'Als dat zo doorgaat, hebben we geen bord meer over op de avond zelf. Mijn vader had deze borden voor me meegenomen uit zijn restaurant, maar meer krijg ik er echt niet.'

'Waarom nemen jullie geen plastic borden?' vroeg Nikki.

'Dat is niet echt,' antwoordde Myren en hij gaf haar een knipoog. 'We doen het met echte borden, of we doen het niet.'

'Wat een flauwekul,' ging Nikki verder, die voelde dat ze een kleur kreeg. 'Dat hoeft toch niemand te weten.'

'Dat zien ze toch?'

'Niet als je het goed aanpakt.'

Myren kwam vlak bij Nikki staan en keek haar onderzoekend aan. 'Hoe dan, moppie?'

Nikki ontweek zijn blik en liep snel naar de stapel borden die op een tafel stonden. Ze probeerde zich te concentreren. 'Je pakt een echt bord van de stapel.'

Nikki pakte een bord. 'Dat laat je aan het publiek zien.' Ze hief haar armen en hield het bord boven haar hoofd alsof het een trofee was. 'Je maakt er gewoon een show van.' Ze liep met opgeheven armen heen en weer.

'Dan doe je net of je struikelt...' Ze haakte haar voet achter haar andere been en liet zich voorover zakken, met het bord tot vlak boven de grond. 'En dan laat je het bord vallen... Ik zal het nu niet echt doen,' zei ze met een grijns. 'Maar op de avond zelf laat je het bord vallen. De scherven zeggen dan meer dan genoeg. Je kijkt een beetje geschrokken en roept dat je hoopt dat de andere borden heel blijven tijdens de act.'

Myren was nog niet echt overtuigd. 'Ja, en dan?'

'Nou, dan doe je de rest van de act met plastic borden die precies op het echte bord lijken. Niemand die het zal merken.'

'En als er dan een bord valt?'

'Dan is het niet stuk.'

'Maar dan snapt toch iedereen dat het bord van plastic is.'

'Tuurlijk niet.' Nikki zuchtte. 'Wat doe jij moeilijk, zeg.' Ze legde het bord op de grond en ging erachter staan. 'Je raapt het bord gewoon op, bekijkt het van alle kanten en kijkt dan heel tevreden de zaal in. Als je maar verbaasd genoeg kijkt, gelooft iedereen dat het bord wonder boven wonder niet stuk is gegaan.'

'Niet slecht voor een blondje.' Myren grijnsde. 'Als het echt werkt...'

'Geloof mij maar,' ging Nikki verder. 'Het werkt!' Ze glimlachte en voelde zich blij. Dit ging goed. Zou ze dan toch nog met een act meedoen op het schoolfeest? Met Myren durfde ze het wel aan. Hij was leuk. Misschien een beetje te leuk, maar wat gaf dat? Het blije gevoel verdrong de klomp in haar maag die ze al weken voelde.

Meester Kas keek tevreden. 'Goed idee, Nikki.' Hij gaf haar een knipoog. 'Ik laat jullie alleen. Dit wordt vast een prachtact. Veel succes! Ruimen jullie die scherven even op.'

Toen de meester weg was, veegde Malin de scherven bij elkaar. Myren en Rick schoven de stapel borden aan de kant en pakten ieder drie ballen.

'Aan de kant,' riep Rick.

Nikki deed een paar stappen naar achteren. Rick en Myren gingen tegenover elkaar staan. 'Concentreren...' zei Myren.

Nikki leunde tegen de tafel en voelde deze wegschuiven. Voordat ze iets kon doen, schoof de tafel tegen de kast aan. Met een schok stopte de tafel en de stapel borden begon te wankelen.

'Pas op!' riep Malin. Ze wilde de stapel borden tegenhouden, maar vergat dat ze de bezem nog in haar handen had. De steel van de bezem duwde tegen haar arm, waardoor ze de controle verloor over haar beweging. De stapel borden viel om.

Met donderend geraas schoven de borden over tafel. De meeste borden vielen op de grond. Nikki sprong van schrik achteruit. De scherven vlogen in het rond. 'Tut!' riep Malin boos. 'Wat doe je nou?'

'Ik?' Nikki keek beledigd. 'Jij gooit die stapel borden toch om.'

'Hoepel alsjeblieft op. Zoek maar een ander groepje. Je brengt ongeluk!'

Nikki keek de anderen vragend aan, maar niemand nam het voor haar op. Zelfs Myren ontweek haar blik. 'Bekijk het dan maar!' Met grote stappen was ze bij de klapdeur. Geen acrobatiek dus. En Myren kon de pot op. Wat een slappeling, zeg!

HOOFDSTUK 7

'Wilde ze bij jullie meedoen?' Saartje keek haar vriendinnen vragend aan. Het was zaterdagmiddag en ze
zaten bij Janine in de boomhut. Het afgelopen half-
uur hadden ze het maar over één onderwerp gehad:
Nikki. De meiden waren duidelijk van slag door de
gebeurtenissen van de afgelopen dagen.

'Niels wilde haar wel laten zingen,' zei Janine. 'Maar
daar heb ik een stokje voor gestoken. Echt, je had
haar moeten zien flirten met hem. Echt niet normaal. En hij trapte er nog bijna in, ook! Het viel me
vies van haar tegen. Ik dacht...' Ze stopte.

'Ze lijkt zo aardig,' vulde Valerie aan. 'Maar ondertussen windt ze alle jongens om haar vinger. Bij ons
was het ook zo. Ze kwam poeslief met ideeën, deed
of ze wilde helpen, maar ondertussen wil ze gewoon
de baas spelen. Die jongens hebben dat helemaal
niet door. Thijs nam het zelfs voor haar op.'

'Precies!' riep Janine. 'Dat bedoel ik nou. Niels had

helemaal niet door dat ze hem aan het inpakken was. Hoe stom kun je zijn?'

'Jongens zijn zo simpel,' verzuchtte Saartje.

Valerie en Janine knikten overtuigend. Voor het eerst in lange tijd waren ze het met hun vriendin eens.

Saartje ging verder. 'Ik heb laatst gelezen dat jongens heel gemakkelijk te verleiden zijn. Zelfs als ze al verkering hebben, laten ze zich gewoon inpakken door de eerste de beste meid die hun aandacht geeft.' Haar stem ging over op fluistertoon. 'Renske zei dat Myren zaterdag eerst met Raquel had gezoend en een uur later werd versierd door een ander meisje. Hij liet Raquel zo staan.'

'Echt?' Janine keek ongelovig. 'Wat gemeen van zo'n meid, zeg.'

'Pardon?' Saartje keek verontwaardigd. 'Myren laat zich versieren, hoor! Als er iemand gemeen is, dan is hij dat wel.'

Valerie keek dromerig voor zich uit. 'Hmm, als ik Myren tegen was gekomen...' Ze glimlachte en keek haar vriendinnen aan. 'Wat nou? Myren is toch gewoon om op te vreten?'

'Met mes en vork,' bromde Saartje. 'En in superkleine stukjes vermalen... Ik ben er klaar mee. Ik hou niet van jongens die de boel bedriegen. Myren is link!'

'Je bent gewoon jaloers,' grijnsde Janine.

'Helemaal niet.'

Valerie kwam tussenbeide. 'Weet je wat ik heb ge-

hoord?' Ze boog voorover. 'Nikki heeft ook een blauw-
tje gelopen bij Myren.'

Saartje en Janine knipperden met hun ogen. 'Vertel...' riepen ze in koor.

'Malin was er zelf bij. Nikki wilde meedoen met hun
act. Iets met borden of zo. Myren was constant aan
het flirten met haar. Hij noemde haar moppie en gaf
haar knipoogjes.'

'En toen?'

'Ze verpestte het zelf door alle borden om te gooien.'
Er klonk een fluitsignaal in de verte. De meiden richtten zich op de opening in de boomhut. In de verte zagen ze een groep jongens het voetbalveld op komen.
Saartje gebaarde met haar hand. 'Vlug, je verrekijker.'
Janine gleed met haar hand onder haar kussen en
zette de verrekijker aan haar ogen. Ze herkende de
jongens meteen. 'D1 speelt,' riep ze.

Op slag waren ze hun geliefde gespreksonderwerp
vergeten en concentreerden ze zich op het voetbalveld.

'Wie zie je?' vroeg Saartje.

'Mert en Cem en...' Janine stokte. 'Achteraan...' zei
ze met schorre stem.

De drie meiden staarden naar de laatste in de rij. Met
hun blote ogen konden ze duidelijk zien dat het een
meisje was. Een meisje met kort, blond haar.

'Nikki,' mompelde Valerie.

'Myren doet ook mee,' zei Janine, die weer door haar
kijker tuurde.

Valerie stond op. 'Ik denk dat we onze jongens moeten gaan aanmoedigen.'

Zonder een woord te wisselen klommen de meiden de boomhut uit.

Het was druk op het voetbalterrein. Er speelden meer teams. Valerie, Saartje en Janine liepen over het tegelpad langs de kleedkamers, in de richting van het veld waar D1 speelde.

Aan het eind van het tegelpad bleef Saartje, die voorop liep, staan.

'Loop eens door,' riep Janine.

'We moeten door de blubber,' zei Valerie en ze keek naar haar schoenen. 'Er liggen allemaal plassen.'

'Ja... nou en? Je kunt toch zwemmen?'

'Hahaha, wat grappig.' Valerie kon de opmerking van Janine niet waarderen. 'Ik ga mijn nieuwe schoenen echt niet verknallen door hierdoorheen te baggeren.' Ze keek naar het voetbalveld in de verte, waar de wedstrijd al begonnen was. Er stond een handjevol mensen aan de kant te kijken.

'Wacht,' riep Janine. 'Ik haal wel even wat plastic tassen thuis.' En weg was ze.

Even later kwam ze terug met zes plastic tassen en wat elastiekjes. 'Mijn moeder heeft er toch genoeg. Ze spaart die dingen, want weggooien vindt ze zonde.' Behendig stapte ze met haar linkerschoen in een plastic tas en bond de tas met een elastiekje vast om haar enkel.

94

'Zo, nu kunnen we gewoon door de blubber zonder dat onze schoenen vies worden.'

'Staat dat niet raar?' vroeg Valerie zich af. De mensen rondom het veld hadden allemaal laarzen of stevige schoenen aan. Niemand had plastic tassen om zijn schoenen geknoopt.

'Welnee, het gaat er toch om dat we ze komen aanmoedigen?' riep Janine. 'Doe nou maar aan.'

Even later liepen de meiden met in plastic verpakte voeten door de modder naar het voetbalveld.

'Hup, D1!' Saartje schreeuwde de longen uit haar lijf. Cem stak zijn duim op en ook Myren had de meiden gezien.

'Wat leuk dat jullie komen kijken,' klonk een bekende stem.

De meiden draaiden zich om en keken recht in het gezicht van Nikki.

'We spelen tegen Geel-Zwart. Volgens de jongens wordt dat best een pittige wedstrijd.'

'Moet jij niet meedoen?' vroeg Janine.

'Straks. Ik sta wissel.'

'Oh...'

Nikki keek naar de plastic tassen. 'Geinig.'

'En origineel,' lachte Valerie. 'Misschien kunnen we er een nieuwe modelijn van maken.'

'Tassenschoen,' vulde Janine aan. 'Hip en toch niet duur.'

'Past altijd.'

'Waterdicht.'

'Enig in zijn soort.'

'Makkelijk aan te trekken.'

'Met gratis extra elastiekjes.'

'Nu met een geweldige korting.'

'Vandaag halen...'

'...volgend jaar betalen.'

'Moet je die van mij zien,' hikte Saartje. Ze hief haar been en liet de besmeurde plastic zak zien. Aan de buitenkant was de zak bedekt met modder. Het leek wel een klomp klei.

'Niet bewegen, dan kleef je vanzelf vast aan de grond,' hijgde Janine. Ze trok haar voet uit een plas water. 'Een applaus voor de winnaar van de *fashion award...*'

Er klonk gejuich en de mensen rondom het veld klapten in hun handen.

'Dank u, dank u...' Janine maakte een buiging.

'Schuif eens op, mop!'

Een zware mannenstem deed Janine opschrikken. Ze voelde een duw tegen haar arm en wankelde. 'Hé, pas op... ik...' Janine voelde haar voeten wegglijden. De plastic tassen waren glad en ze glibberde over het natte, modderige gras.

Met een bons kwam Janine op de grond terecht. Haar broek werd kleddernat en ze voelde het vocht tot in haar ondergoed optrekken. De man die haar geduwd had, stond al weer bij de lijn te juichen.

Nikki greep Janine bij haar arm en hielp haar overeind.

'Dank je,' zei Janine. Er liepen straaltjes water langs haar benen naar beneden.

'Je broek!' Valerie wees naar de gigavlek achter op Janines broek.

Met een vies gezicht veegde Janine wat modder weg. De modder verplaatste zich naar haar handen.

Valerie deed een stap naar achteren. 'Kijk uit, zeg! Ik hoef niet ook vies te worden.'

Nikki klopte met haar handen de rest van de modder van Janines broek. 'Mijn kleren worden toch vies tijdens het voetbal,' legde ze uit. 'Ik douche het er straks wel weer af.'

'Bij de jongens?' Het was eruit voordat Saartje er erg in had.

Nikki grijnsde. 'Ik dacht het niet.' Ze stond met opgeheven modderhanden en wiebelde met haar vingers. 'Ik heb een eigen kleedkamer,' legde ze uit. 'Met douche. Helemaal voor mij alleen. Heerlijk.'

Saartje leek teleurgesteld.

'Ben jij het enige meisje op voetbal hier?' vroeg Janine.

'Vandaag wel. Bij Geel-Zwart spelen geen meiden. Kleedkamer vijf is helemaal voor mij alleen. Als je wilt douchen: ik heb een reservebroek en -shirt in mijn tas. Die mag je wel zolang lenen. En een handdoek ligt er ook nog wel. Zo kun je hier niet blijven staan.'

Janine voelde een rilling. Ze kreeg het koud. Met haar modderhanden, kleddernatte broek en plasticzakkenschoenen zag ze er inderdaad belachelijk uit. En het ergste was nog dat de man die haar omver geduwd had, niets in de gaten had. Geen sorry of excuus...

'Ik wou dat ik die vent omver kon duwen. Kon hij ook eens voelen hoe het voelt om onder de modder te zitten.'

Nikki keek om. 'Die daar?'

Janine knikte. 'Hij duwde mij zo om. Moet je hem nu zien staan.'

De man stond langs de lijn en schreeuwde de longen uit zijn lijf. 'Ram die bal naar voren! Pak 'm! Doe dan iets! Schoppen...'

'Hmm, we kunnen hem natuurlijk met gelijke munt terugbetalen,' mompelde Nikki.

Ze keek naar haar vuile handen, wiebelde weer met haar vingers en gebaarde naar de jas van de man. 'Let op.'

Nikki liep naar voren. Haar handen staken recht vooruit.

'Nee joh... niet doen.' Janine haar stem sloeg over, maar het was al te laat. Nikki liet zich voorovervallen en kwam met haar modderhanden op de rug van de man voor haar terecht. Klodders modder spetterden op zijn leren jas. Nikki deed net of ze zich vastgreep en streek met haar handen nog eens extra over de jas. 'Hola... wat is dat?' De man draaide zich om en keek met ontstelde blik naar Nikki.

'Sorry meneer... ik struikelde.' Nikki ging rechtop staan. 'Bedankt dat u mij tegenhield.'

Ze trok haar alleronschuldigste gezicht en liep terug naar Janine.

'Kijkt hij nog?' fluisterde Nikki. Ze durfde niet om te kijken.

'Ja, en hij is behoorlijk boos.' Janine keek vol bewondering naar Nikki. 'Dat je dat durft.'

'Zo bijzonder is het niet, hoor,' mengde Saartje zich in het gesprek. 'Het is meer brutaal.'

Ze wierp Nikki een ijskoude blik toe. 'Brutaal en onbeschoft. Moet je die man zijn jas zien.'

Nikki wilde wat zeggen, maar een fluitsignaal verstoorde de stilte.

'Nikki! Spelen!' De trainer van D1 gebaarde dat Nikki het veld in moest. Zonder nog iets te zeggen, rende Nikki het veld op.

'Waarom deed je nou zo kattig?' vroeg Janine. 'Ze wilde toch alleen maar helpen?'

'Die griet wil alleen maar aandacht,' reageerde Saartje. 'Snap je dat nou nog niet?'

'Misschien wil ze gewoon vriendinnen worden.'

'Geloof je het zelf?'

Janine haalde haar schouders op. 'Ik weet het niet. Weet je... misschien wilde ze Niels helemaal niet versieren. Ik kan me toch vergist hebben? En jij mocht bij haar afkijken met rekenen. Dat is toch best wel aardig?'

'Best wel aardig... Best wel aardig... Dat is nog geen reden om vriendinnen te worden, begrepen?'

Janine veegde haar handen schoon aan het gras. 'Jij

bent echt niet de baas over mij! Ik kies zelf mijn vriendinnen uit.'

'Het is een indringster! Ze windt iedereen om haar vinger, inclusief jou! Dat pik ik niet!'

'Doe wat je niet laten kunt,' mompelde Janine. 'Ik ga nu naar huis, douchen.'

Ze bekeek haar modderige kleren en handen. 'Alhoewel...' Heel even keek ze naar het gebouw met kleedkamers. 'Mijn moeder ziet me aankomen. Ik geloof dat ik het aanbod van Nikki maar aanneem.'

'Je gaat toch niet hier douchen?' Valerie trok een vies gezicht.

'Waarom niet?' Janine gaf haar een knipoog. 'Dichter bij de jongens kun je niet zijn.'

Saartje en Valerie keken elkaar aan. Daar hadden ze nog niet aan gedacht.

'Je bent inderdaad wel erg smerig,' merkte Saartje op.

'Ja,' zei Valerie. 'Dat krijg je nooit in je eentje schoon.'

'Als jullie helpen, is het zo gepiept,' zei Janine met een grijns.

Kleedkamer vijf was niet op slot. De drie meiden stapten naar binnen.

'Wat klein,' zei Valerie.

Aan weerskanten stonden banken en in de hoek was een deur die naar de douches leidde. Op een van de banken stond een sporttas. Met stift waren er vijf letters opgeschreven: N I K K I.

Janine haalde er een shirt, broek en handdoek uit.

'Janine... met rugnummer tien,' rijmde ze toen ze het nummer op het shirt zag staan.

De meiden keken omhoog. De muren van de kleedruimte waren niet doorgetrokken tot aan het plafond. Bovenaan was een strook van tien centimeter open.

'Lekker handig,' zei Saartje en ze wees naar de opening. 'Ze kunnen vanuit de andere kleedruimte zo naar binnen kijken.'

'Er is niemand,' mompelde Janine. Ze trok de plastic zakken van haar schoenen en wierp ze in de vuilnisbak die in de hoek stond. 'Help eens even mee met mijn kleren. Als ik opschiet, ben ik klaar voor de jongens komen. Ik spoel mijn kleren ook meteen even uit.'

Saartje en Valerie hielpen met het uittrekken van Janines plakkerige, natte kleren en even later stond Janine onder een van de douches.

'Best fris,' riep ze toen de koude waterstralen over haar lijf rolden. Terwijl Janine douchte, hoorden Valerie en Saartje gestommel in de kleedkamer naast hen.

'Wat een ballenscheidsrechter,' schreeuwde een jongensstem. 'Mij eruit sturen. Wat denkt-ie wel?'

De drie meiden hielden hun adem in. Ze herkenden de stem direct.

'Myren,' siste Saartje.

'Gedraag je dan ook,' zei een andere stem.

'Cem,' fluisterde Valerie en ze kreeg een kleur.

Saartje wees naar de opening boven in de muur. Zo zacht ze konden, klommen ze op de bank.

Myren was nog behoorlijk aan het mopperen. 'Ik ga douchen en naar huis. Ze bekijken het maar.'

'Dat is het stomste wat je kunt doen,' riep Cem. 'Douchen is oké, maar weglopen niet.'

'Ik kan mijn zaterdagmiddag beter besteden.'

'Je hebt al een rode kaart, Myren... als je nu weggaat, kun je het voetbal hier wel vergeten.'

'Dan maar geen voetbal. Ik deed het toch alleen maar voor...' Hij viel stil.

'Voor?'

'Niets.'

Het was even stil. Saartje en Valerie stonden op hun tenen en konden net door de opening kijken. Ze zagen de hoofden van de twee jongens die aan de andere kant van de kleedkamer stonden.

Cem schudde zijn hoofd. 'Jij en voetbal... dat klopt sowieso al niet. Vertel op... Waarom ben je eigenlijk op voetbal gegaan?'

Myren liet zich op een van de banken vallen. 'Door die ouwe van me,' verzuchtte hij. 'Ik dacht dat ik van het gezeur af zou zijn als ik op voetbal ging. Nou, ik geloof dat ik het alleen maar erger heb gemaakt. Die vent is niet goed snik. Staat daar te schreeuwen en te blèren langs de kant. Ik schaam me dood.'

Valerie en Saartje keken elkaar aan. Was de man die Janine omver had geduwd de vader van Myren?

Janine draaide de douchekraan uit en pakte haar handdoek. 'Wat staan jullie...'

'Sssttt!'

Janine was op slag stil. Rillend en druppend keek ze naar de opening boven in de muur. De stem van Myren was duidelijk te horen.

'Mijn vader is vroeger heel kort profvoetballer geweest,' vertelde Myren. 'Een knieblessure heeft hem uitgeschakeld. Balen. Echt rot voor hem, maar hij zeurt daar al jaren over. Gek word ik ervan. Hij wilde per se dat ik voetballer werd. Toen ik amper kon lopen, had hij mij al ingeschreven bij het plaatselijke voetbalteam.'

Een deur ging open.

'Of je komt spelen, Cem,' riep een jongensstem.

Janine kreeg een kleur. 'Niels,' fluisterde ze.

'Zeg gelijk maar dat ik er helemaal mee kap,' zei Myren.

'Niks daarvan,' riep Cem. 'Samen uit, samen thuis. Je belooft me dat je hier wacht tot we klaar zijn.'

'Ik zou niet weten waarom.'

'Omdat ik het zeg.' De stem van Cem klonk streng. 'Lafaards lopen weg. Jij bent geen lafaard.'

Janine sloeg de handdoek om haar schouders en klom ook op de bank. Door de opening zag ze de hoofden van Myren, Cem en Niels.

'Oké, oké... ik wacht hier wel op jullie. En nou wegwezen!'

Cem en Niels liepen de kleedkamer uit.

'En winnen!' riep Myren nog voordat de deur achter hen dichtviel.

Het was stil.

Onbeweeglijk bleven de drie meiden op de bank staan. Nu het gekibbel afgelopen was, kon je ieder geluidje horen.

Janine rilde. Haar blote benen voelden koud aan. Voorzichtig liet ze zich door haar knieën zakken en stapte van de bank af. Behendig schoof ze in het shirt en de broek.

'Tada...' fluisterde ze en ze showde haar voetbaltenue. Valerie en Saartje staken hun duim op en schoten in de lach. Met een hand voor hun mond probeerden ze ervoor te zorgen dat Myren hen niet hoorde. Janine danste zwierig in het rond en deed net of ze een bal wegschopte en een doelpunt maakte. Met opgeheven armen liep ze door de kleedkamer.

Saartje kruiste haar benen en veegde een traan van haar gezicht. Ze schudde heftig met haar hoofd. Ze had nu echt de slappe lach. Valerie gebaarde dat ze stil moest zijn.

Janine trok haar shirt omhoog, sloeg de onderkant over haar hoofd en liep als een kip zonder kop door de kleedkamer.

Aan de andere kant van de muur hoorden ze gekletter van water. Myren stond onder de douche.

Saartje sprong van de bank. 'Pfff... ik plas in mijn broek, man!' siste ze. 'Je ziet er niet uit.'

'Die man...' hijgde Valerie. Ze stapte van de bank

en greep Janine bij haar arm. 'Die man was Myrens vader.'

'Welke man?'

'De modderman,' grijnsde Valerie. 'Je hebt Myrens vader volgeklodderd.'

Janines gezicht betrok. 'Echt?'

'Zij niet,' zei Saartje. 'Nikki.'

Het was even stil.

'Als Myren daarachter komt, dan is Nikki de klos,' merkte Janine op.

Saartjes gezicht lichtte op. 'Hmmm...'

'We zeggen niets,' waarschuwde Janine, die haar vriendin door en door kende. 'Geen geintjes. Nikki heeft het voor me opgenomen. We gaan haar niet verraden.'

'Jij zegt het,' bromde Saartje.

Janine pakte het natte stapeltje kleren op. 'Even uitspoelen.' Ze liep naar de wasbak in de doucheruimte. Op dat moment klonk er geschreeuw en de deur vloog open.

'We hebben gewonnen!' Een kletsnatte Nikki rende de kleedkamer in. 'Vier-nul... Ze waren helemaal nergens.'

'Myren kreeg wel een rode kaart,' merkte Saartje op, die doorhad dat het in de jongenskleedkamer naast hen stil werd.

'Eigen schuld,' ging Nikki verder, terwijl ze haar shirt uittrok. 'Myren schopte die spits zo onderuit. Zoiets doe je niet.'

Saartje keek heel even omhoog en haar ogen glommen. 'Hoe bedoel je?'

Nikki schopte haar schoenen uit. 'Myren is een bom op pootjes met een heel kort lontje. Om het minste of geringste ontploft hij. Daar houd ik niet van. Voetbal is een eerlijk spel, met regels waar je je aan te houden hebt.'

Nikki boog haar hoofd. De woorden die ze sprak kwamen rechtstreeks van haar vader. Ze hoorde zijn stem in haar gedachten galmen. 'Respect en sportiviteit, daar draait het om, Nikki!'

'Is er iets?' Saartje keek overdreven bezorgd naar Nikki, die er ineens intens verdrietig uitzag, maar haar ogen straalden nieuwsgierigheid uit.

'Nee, niets,' mompelde Nikki. 'Laat me maar even. Ik ga douchen.'

'Jij had die schreeuwlelijk langs de kant goed te pakken, Nikki,' zei Saartje, die net deed of ze Nikki's laatste opmerking niet gehoord had.

Nikki pakte haar handdoek. Het beeld van haar vader verdween. 'Ja, hè?' zei ze zo gewoon mogelijk. 'Die kerel stond de hele wedstrijd te schreeuwen en te gillen. Wat een dombo, zeg!' Ze schopte haar schoenen uit. 'Als ik zo'n vader had, zou ik hem verbieden om te komen kijken.'

'Jij durfde anders wel zijn jas onder de modder te smeren.'

'Ik ben niet bang, voor niemand. Had-ie Janine maar niet om moeten duwen.'

Janine kwam aangelopen met een stapel natte kle-
ren. Nikki glipte langs haar heen onder de douche.
'Mis ik wat?' vroeg Janine toen ze de triomfantelijke
blik van Saartje zag.
'Nee, hoezo?'
Valerie hield haar mond.
Aan de andere kant van de muur klonk lawaai en
een jongensstem schalde door de kleedruimte. 'Hé,
Myr... doe effe rustig, man. Die prullenbak is geen
boksbal. Wat heb jij?'

HOOFDSTUK 8

'Wacht nou even...' Nikki nam een spurt en haalde Myren in. Het was donderdagmiddag en de school was net uit. 'Is er iets?'

Myren liep in hetzelfde tempo door. 'Nee, hoezo?'

Nikki bleef naast Myren lopen. 'Je doet raar.'

Er kwam geen antwoord. Nikki greep Myrens arm en dwong hem te stoppen. 'Waarom doe je zo irri?'

Myren rukte zich los en wilde verder lopen, maar Nikki sprong voor hem. 'Je doet al de hele week raar tegen me. Als ik wat zeg, loop je weg. Je zit me onder de les stiekem aan te staren. Met trainen schop je bijna de benen van mijn lijf. En vanmiddag stond je wel heel smoezerig met Saartje naar mij te gluren. Je vertelt me nu wat er aan de hand is...'

'Of anders?' Myren keek uitdagend.

Nikki zuchtte en deed een stap opzij. 'Lafaard.' Ze draaide zich om en wilde de straat oversteken. Ze had hier zo geen zin meer in. Dat gekonkel en gedraai van de meiden in haar groepje was nog tot daaraan toe, maar dat jongens zich ook al gingen gedragen als meiden...

'Ik ben geen lafaard,' reageerde Myren.

Nikki bleef staan, met haar rug naar Myren gekeerd. Ze wachtte. Een auto raasde voorbij.

'Jij moet beter op je woorden letten,' ging Myren verder.

Nikki fronste haar wenkbrauwen. Had ze iets verkeerds gezegd?

'Wat bedoel je?' Nikki had zich omgedraaid en keek Myren vragend aan.

'Je vindt mijn vader een dombo!' Myren schreeuwde het uit.

'Wie? Ik?'

'Ja, dat heb je zelf gezegd!'

'Man, ik ken je vader niet eens. Hoe kan ik hem dan een dombo vinden?'

'Saartje...'

'Oh, dus daar komt de aap uit de mouw,' viel Nikki hem in de rede. Ze voelde haar hoofd rood aanlopen. 'Saartje fluistert jou wat in en hup... meneer denkt dat het waar is. Nou, ik zal jou eens wat vertellen... Ik vind helemaal niets van jouw vader. En weet je waarom niet? Omdat ik die man nog nooit gezien heb.'

'Ik heb het zelf gehoord.' Myrens stem klonk ernstig. 'In de kleedkamer... zaterdag, tijdens voetballen.'

Nikki was even van haar stuk gebracht. 'Zaterdag?'
Ze dacht terug aan de wedstrijd.

'Janine en Valerie waren er ook bij,' ging Myren verder. 'Doe maar niet zo onnozel. Je zei dat je mijn vader een dombo vond, en dat je zijn jas expres onder de modder had gesmeerd.'

'Hoe weet jij...'

'Ik stond in de andere kleedkamer en heb alles gehoord.' Myren lachte schamper. 'Ik dacht dat jij anders was...' Hij maakte een wegwerpgebaar met zijn arm en liep door. 'Ach, laat ook maar.'

Nikki herwon zich en liep achter Myren aan. 'Dan heb je ook gehoord waarom ik je vader een dombo noemde?'

Er klonk een fietsbel. 'Lekker samen wandelen?'

Niels zwaaide en reed lachend voorbij.

'Ik vroeg je wat.' Nikki gaf Myren een duw. 'Jouw vader had Janine zomaar omvergeduwd. Ze zat onder de modder en hij zei niet eens sorry. Hij had het veel te druk met schreeuwen en tieren. Zo iemand vind ik, terecht, een dombo.'

'Het is wel mijn vader,' zei Myren.

'Dat is jouw probleem.'

'Alsof jouw vader zo'n lieverdje is!' Myren liep rood aan. 'Mijn vader komt tenminste naar me kijken. Die van jou had niet eens interesse!'

Het was of Nikki een dreun in haar gezicht kreeg. Ze hapte naar adem en voelde haar hart bonken. Dit was niet eerlijk! Haar vader was juist heel graag naar de wedstrijd komen kijken! Maar dat kon niet... niet meer! Hij was dood.

Nikki voelde een vreselijke woede in zich opkomen. Haar vader had haar zomaar in de steek gelaten! Zonder iets te zeggen was hij ertussenuit geknepen. Ze haatte hem! Myren had gelijk. Haar eigen vader was een dombo. Welke vader laat zijn dochter nu alleen voetballen?

'Mijn vader mag dan een beetje overenthousiast zijn,' ging Myren verder, 'dat is altijd nog beter dan helemaal niet komen opdagen.'

Langzaam voelde Nikki het bloed uit haar gezicht wegtrekken en haar benen begonnen te trillen. 'Ik...' Meer kon ze niet zeggen. De woede was overweldigend. Haar hoofd begon te draaien en met een klap kwam ze op de stoep terecht.

'Nikki?' Myren knielde bij Nikki neer. 'Nik?'

Nikki kreunde. Haar hele lichaam deed zeer.

Myren pakte haar hand. Nikki probeerde op te staan, maar haar lichaam wilde niet echt meewerken.

'Voorzichtig,' zei Myren. 'Ga eerst maar even zitten.'

Hij hielp Nikki overeind. 'Gaat het?'

Nikki knikte. 'Ja, ik denk het wel. Ik werd ineens draaierig. Bedankt.'

Langzaam kwam ze weer bij haar positieven.

Ze keek Myren aan. 'Sorry, ik...'

'Ssst... niet meer over hebben.'

'Ik wist niet dat het je vader was,' ging Nikki verder. 'Echt niet.'

'Had dat wat uitgemaakt dan?'

Nikki glimlachte en schudde haar hoofd. 'Ik denk het niet,' fluisterde ze.

'Hmm, wel eerlijk,' grijnsde Myren. 'En misschien had je wel een beetje gelijk. Mijn vader kan soms erg fanatiek zijn.'

Ondersteund door Myren, stond Nikki op. 'Bedankt. Het gaat wel weer.' Ze klopte haar kleren schoon. Voorzichtig bewoog ze haar hoofd. Wat ongerust dacht ze terug aan het moment dat ze viel. Haar hele lichaam leek uitgeschakeld en alle kracht was uit haar armen en benen gestroomd. Zoiets had ze nog nooit meegemaakt. Langzaam herinnerde ze zich alles weer. De woede, haar kloppende hoofd...

'Sorry dat ik jouw vader...' begon Myren, maar hij kon zijn zin niet afmaken.

'Mijn vader is dood.' Nikki boog haar hoofd. Ze schaamde zich dat ze daarnet zo boos was geweest op haar vader.

Er viel een stilte.

'Oh, dat wist ik niet,' stamelde Myren toen.

'Niemand weet het,' ging Nikki verder. Ze keek op. 'Behalve de meester dan.'

Myren schoof wat ongemakkelijk met zijn voeten heen en weer. 'Al lang?'

'Drie maanden en een dag,' zei Nikki zacht en ze merkte dat ze rustiger werd. Het was fijn om erover te praten. Ze keek Myren aan. 'Hij kwam altijd kijken. Iedere wedstrijd.'

Ze wreef over haar hoofd en knipperde met haar ogen. Het gezicht van haar vader drong zich aan haar op. 'Mijn vader was top,' zei ze.

Myren schoof wat met zijn voeten heen en weer. 'Je zult hem wel vreselijk missen.'

Nikki beet op haar lip. 'Hij was er altijd en opeens...' Ze stokte en keek Myren aan. 'Weg... zomaar. Ik had een vader toen ik naar school ging, en toen ik thuiskwam was hij weg. Het was een ongeluk... hij kon er niets aan doen.' Ze voelde haar ogen nat worden. 'Gewoon domme pech.'

Myren sloeg zijn arm om Nikki heen. 'Ik breng je naar huis, goed?'

'Zag ik jou nou met Myren gister?' Saartje schoof Nikki's stoel naar achteren, zodat ze kon gaan zitten. Het was vroeg in de ochtend en de meeste kinderen waren al in de klas.

'Zou kunnen.' Nikki liet de stoel staan en liep door naar het groepje van Myren.

'Je bent ook veel te direct,' mompelde Janine.

'Weet je zeker dat je ze gisteren samen zag lopen?' vroeg Valerie.

Saartje knikte. 'Ik ben echt niet gek, hoor.'

Nieuwsgierig staarden ze naar Nikki, die hartelijk werd begroet door de jongens.

'Kijk nou,' fluisterde Saartje. 'Ze krijgt zelfs schouderklopjes.'

'Ik dacht dat jij zei dat Myren boos op haar was,' merkte Janine op.

'Was ook zo,' bromde Saartje.

'Daar is anders niets van te zien.'

Saartjes gezicht stond op onweer. 'Ik snap er niets van.'

Meester Kas kwam binnen en iedereen ging naar zijn plaats.

'Goedemorgen, lieve leerlingen van me! Vandaag is de grote dag. Hebben jullie er zin in?'

Er klonk gejuich en iedereen begon door elkaar te praten.

De meester vroeg om stilte. 'Vanmiddag hebben jullie vrij om met elkaar de laatste hand te leggen aan jullie optreden. Ik verwacht dat we vanochtend nog even geconcentreerd aan het werk gaan.'

Een zacht gemompel gonsde door de klas.

'Meester?' Thijs stak zijn hand op.

'Ja, Thijs?'

'Nikki doet met niemand mee.'

Het werd stil in de klas.

'Dat weet ik. Aardig dat je je zorgen maakt om haar.' Thijs kreeg een kleur.

De meester liep naar het groepje van Thijs. 'Het is een beetje te kort dag geweest voor Nikki. Ik begreep van Nikki dat iedereen al zo ver was met instuderen dat het onmogelijk was voor haar om in te voegen. Ze wilde niet tot last zijn, zei ze en dat is natuurlijk heel verstandig.'

Saartje keek naar beneden en krabde wat lijm van haar tafelblad. De meester keek om zich heen. 'Nikki gaat vanavond lekker genieten van alle acts. Dat is nou weer het voordeel van verhuizen,' lachte de meester en hij gaf Nikki een knipoog.

Valerie wilde wat zeggen, maar een trap tegen haar voet deed haar zwijgen. De meester liep terug naar zijn tafel. 'Rekenboek graag. Ik haal even koffie. Begin maar vast. Taak achttien.'

'Dat deed zeer,' siste Valerie boos toen de meester de klas uit liep. 'Waarom deed je dat nou?'

Saartje keek verbaasd. 'Wat? Ik deed niets.'

Janine, die tegenover Nikki zat, pakte haar rekenboek. 'Vind je het echt niet erg?'

Nikki haalde haar schouders op. 'Ik ben wel wat gewend.'

'Nikki kan heel goed voor zichzelf zorgen,' siste Saartje. 'Daar heeft ze onze hulp niet bij nodig.'

'Bedankt,' ging Nikki verder. 'Ik ben blij dat niet iedereen hier kampioen katten is.'

Saartje smeet haar rekenboek op tafel. 'Wat bedoel je daarmee?'

'Niets, hoezo? Voel je je aangesproken?'

Saartjes gezicht werd rood. 'Je moet niet denken dat je hier de baas kunt spelen.'

'Wie speelt hier nu de baas?' Nikki boog zich voorover en kwam met haar gezicht vlak bij dat van Saartje. 'Waar ben je bang voor, Saartje?'

'Ik ben niet bang,' siste Saartje. Ze schoof iets naar achteren. 'Pfff, voor jou zeker.'

Valerie en Janine hadden al die tijd niets gezegd,

115

maar voelden zich duidelijk ongemakkelijk bij het gekibbel.

'Kappen,' zei Janine, die absoluut niet tegen ruzie kon. 'Je zit haar zelf te dissen.'

Beledigd draaide Saartje zich om. Ze keek recht in het gezicht van Myren en kreeg een kleur. Nikki zag het. 'Vind je hem leuk?'

De opmerking van Nikki was raak. Saartje kromp in elkaar.

'Wie vindt Myren nu niet leuk,' merkte Janine op om de spanning te breken. 'Ik bedoel... alle meiden vinden Myren leuk.'

'Jullie ook?' Nikki wachtte het antwoord niet af, maar keek naar Myren. 'Hmm, ik vraag me af waarom.' Ze glimlachte vriendelijk naar Myren. 'Hij heeft piekhaar, kluifnagels en noemt iedereen moppie... Yek!'

Valerie schoot in de lach. 'Nu je het zegt... Hij bijt inderdaad steeds op zijn nagels.'

'En heb je die ene scheve tand gezien,' fluisterde Janine. 'Hij moet vast een beugel.'

Saartje had tot nu toe nog niet gereageerd, maar nu kon ze zich niet langer meer inhouden. 'Kijk naar je eigen,' siste ze.

'Jezelf,' verbeterde Nikki haar. 'Het is: kijk naar jezelf.'

Valerie en Janine waren niet meer te stoppen.

'Hahahaha... dat gezicht van jou,' gierde Valerie. 'Je lijkt mijn moeder wel, die kan ook altijd zo boos kijken.'

'Kijk naar jezelf,' snauwde Saartje.

'Goed zo,' zei Nikki. 'Je leert snel.'

Janine lag over de tafel. 'Kom op, Saar... Nikki is cool.'

'Kunnen we meelachen?' De stem van Myren schalde door de klas.

De meeste kinderen keken nu naar het melige stel bij het raam.

'Nikki vindt dat je kluifnagels hebt,' riep Saartje.

Valerie en Janine stopten abrupt met lachen en er viel een stilte.

'En piekhaar,' vervolgde Saartje, die rechtop ging zitten. Ze had nu alle aandacht en genoot daar zichtbaar van.

Myren grijnsde. 'Zo... vindt ze dat?'

Saartje knikte heftig. 'Beetje flauw om dat achter iemands rug om te zeggen. Zoiets doe je niet, toch?'

'Nee, dat ben ik met je eens.' Myren stond op en liep naar Saartje. 'Maar vertelde jij mij van de week niet van alles over Nikki?'

Saartje schoof onrustig op haar stoel heen en weer. 'Eh... nou... dat was anders.'

'Anders?' Myren boog zich voorover. 'Hoe zei je het ook alweer?' Hij deed net of hij diep nadacht. 'Nikki was achterbaks, een aandachtstrekker, een...'

'Stop maar,' zei Saartje. 'Boodschap is duidelijk.'

'Heb jij dat echt gezegd?' stamelde Janine, die zich niet kon voorstellen dat Saartje echt zo gemeen kon zijn. Ook Valerie keek ongelovig.

Saartje zuchtte. 'Zoiets,' mompelde ze. 'Maar het is toch allemaal waar?'

'Dat ik piekhaar heb en nagelbijt is waar,' zei Myren. Hij keek naar zijn afgekloven nagels. 'Moet ik nodig wat aan doen. Maar Nikki is absoluut niet achterbaks of een aandachtstrekker.'

'Van de week reageerde je heel anders,' probeerde Saartje nog.

'Dat was ook ongelooflijk stom van me,' antwoordde Myren. 'Ik had je nooit mogen geloven.'

Saartje keek naar haar vriendinnen. 'Zeg dan wat.'

'Zoals?' vroeg Valerie, die niet van plan was Saartje te hulp te schieten.

'Dat het waar is wat ik zei. Jullie waren erbij toen Nikki Myrens vader uitschold voor dombo.'

'Oh, dat... ja, dat is waar.' Valerie haalde diep adem. 'Maar dat ze achterbaks is en een aandachtstrekker niet. Dat heb jij ervan gemaakt. En we zouden niets zeggen, weet je nog?'

Janine zat ijverig te knikken. 'Ja... je hebt vanaf het begin op Nikki zitten vitten. Waarom eigenlijk?'

Saartje stond met een ruk op. Haar stoel viel achterover en ze richtte zich tot Nikki. Haar ogen schoten vuur. 'Heb je nou je zin?' Met grote stappen liep ze naar de deur, waar meester Kas zojuist aan kwam lopen.

'Hola, hoge nood?'

Zonder iets te zeggen stoof Saartje de klas uit. Meester Kas keek haar verbaasd na. 'Iets verkeerds gegeten?' riep hij nog, maar Saartje was al achter de toiletdeur van de meisjes verdwenen.

Myren liep terug naar zijn plaats. 'Ze is niet hele-maal lekker, mees,' zei hij. Hier en daar klonk ge-grinnik.

'Nikki,' zei meester Kas. 'Zou jij even willen kijken? Als er echt iets is...'

Even later stond Nikki in de toiletruimte. Een van de deuren zat op slot. Het rode schijfje was duidelijk te zien. Nikki leunde tegen de deurpost. Ze had hier dus helemaal geen zin in. Met Saartje viel gewoon niet te praten. Wat ze ook zei of deed... het was nooit goed. Nikki begon zich af te vragen wat de werke-lijke reden was van Saartjes vijandigheid.

'Saartje? Ik ben het... Nikki.'

'Ga weg!' Er klonk gesnuif.

Nikki klopte nog een keer op de deur die op slot zat. 'Saartje, doe open. Ik wil met je praten.'

'Ik niet met jou.'

Nikki leunde tegen de wasbak. 'Wat heb jij tegen mij?'

'Niets! Hoepel op.'

'Maak dat de kat wijs. Je loopt me al vanaf het begin te stangen. En ik wil weten waarom. Is het Myren? Ben je jaloers? Je hoeft niet bang te zijn dat...'

De deur vloog open en Saartje kwam naar buiten ge-stormd. 'Jij bent echt ongelooflijk.'

Ze keek Nikki strak aan. 'Dit doe je expres, hè?'

'Wat?' Nikki had geen flauw idee waar Saartje het over had.

'Mij in de maling nemen.'

'Ik zou niet durven. Ik probeer een reden te vinden waarom jij mij zo behandelt.'

'Wil je dat echt weten?'

'Ja, graag.' Nikki keek Saartje vragend aan.

Saartje opende haar mond, maar er kwam geen geluid uit. Heel even staarden ze elkaar aan.

'Nou?' Nikki werd ongeduldig. 'Komt er nog wat van?'

Saartje hapte naar adem, duwde Nikki weg en stoof de toiletruimte uit. 'Laat me met rust.'

HOOFDSTUK 9

'Beste ouders, jongens en meisjes. Hartelijk welkom op onze jaarlijks terugkerende feestavond.'

De mensen in de zaal richtten zich op de directeur die op het podium stond. Het werd langzaam stil.

'De kinderen uit de bovenbouw hebben wekenlang gewerkt aan hun optreden en nu is het dan eindelijk zover.' Er klonk applaus. Terwijl de directeur verderging met zijn openingsspeech, was het achter het podium een heksenketel. Alle kinderen liepen zenuwachtig heen en weer.

'Waar is mijn konijn?' riep Valerie. 'Hij zat net nog in de doos.' Ze hield de kartonnen doos op zijn kop en keek vertwijfeld om zich heen. 'Hij is ontsnapt!'

Mirjam, Puk, Thijs en Dave kropen over de grond en begonnen te zoeken.

'Heeft iemand een konijn gezien?' riep Thijs.

'Ik zag net wat naar buiten huppen,' riep Myren. 'Volgens mij was dat een konijn.'

'Waarom pakte je dat beest dan niet?' zei Dave boos. 'Nu is ons konijn ervandoor.'

'Ja, weet ik veel. Let dan een beetje op.'

'Zonder konijn gaat onze act niet door,' jammerde Valerie.

Nikki kwam met knikkend hoofd aangelopen. In haar oren zaten oordopjes en zo te zien luisterde ze naar een lekker swingend nummer. Bij het zien van het treurige gezicht van Valerie trok ze haar oordopjes uit. 'Is er wat?' Nikki keek Valerie onderzoekend aan. Voerde Valerie weer een toneelstukje op of was er echt iets aan de hand?

Thijs legde de situatie uit en Valerie begon nog harder te jammeren. 'Onze hele act naar de maan! En ik ben mijn konijn kwijt. Hoe vind ik haar ooit terug?'

'Heeft iemand thuis een konijn?' riep Thijs. 'Please...' Hij keek in het rond. Een aantal kinderen schudde hun hoofd.

'Jij hebt toch een konijn, Nikki?' vroeg Janine, die zich nog herinnerde dat Nikki over haar konijn vertelde tijdens biologieles.

'Jawel...' zei Nikki. 'Maar...' Ze keek recht in de grote ogen van Valerie en kon het niet over haar hart verkrijgen om te weigeren. 'Oké, ik haal hem wel.'

'Zou je dat willen doen?' Valerie keek Nikki smekend aan. 'Red je dat nog?'

Nikki keek op haar horloge. 'Als ik ren...' En weg was ze.

Dave stond op. 'Als ze maar op tijd terug is. Wij moeten als derde optreden.'

'Wel lief dat ze dat doet,' zei Thijs.

'Wie is lief?' vroeg Saartje, die net aan kwam lopen.

'Nikki,' zei Thijs. 'Ze haalt haar konijn. Dat van Valerie is ontsnapt.'

Saartje haalde haar schouders op. 'Doet ze toch nog iets vanavond.'

'Hoezo?'

'Nikki doet toch nergens aan mee?' legde Saartje uit. 'Zo maakt ze zich nog nuttig, toch?'

'Volgens mij doet Nikki wel mee,' zei Janine. 'Ze stond op het programma.'

'Wat?' Saartje rende naar de deur, waar een groot papier op was geprikt. Met haar vinger gleed ze langs de namen. 'Krijg nou wat...' Ze staarde naar de naam onder aan de lijst. 'Nikki doet mee.'

Er kwamen wat kinderen om haar heen staan.

'Wie is Nikki?' vroeg een jongen uit de klas van meester Jens.

'Die nieuwe,' legde Niels uit. 'Met dat blonde haar. Wel oké.'

'Wat gaat ze doen?' vroeg Janine, die nieuwsgierig kwam kijken. 'Er staat niets achter haar naam.'

'Raar,' mompelde Saartje. 'Bij ons staat er steeds bij wat voor optreden het is.'

'Een verrassing dus,' lachte Niels. 'Ik ben benieuwd. Wel knap dat ze in haar eentje durft.'

Na een tijdje stormde Nikki hijgend binnen. In haar handen droeg ze een mand met daarin een groot bruin konijn. 'Kijk eens, dit is Flappie.'

Valerie keek op. 'Hij is niet wit!'

'Nee, hij is bruin,' reageerde Nikki. 'Met een wit vlekje bij zijn staart. Kijk maar.' Trots liet ze de achterpoten van Flappie zien. 'Hij is heel lief.'

Ze strekte haar armen en reikte het konijn aan. 'Doe je wel voorzichtig?'

Valerie aarzelde. 'Mijn konijn was wit.' Ze keek wat hulpeloos naar Thijs en Dave. 'Toch?'

Nikki begon het te begrijpen. 'Ja, hoor eens... ik ren me daar suf om jullie te redden. Wat maakt het nou uit wat voor kleur dat konijn heeft?'

'Maar een goochelkonijn is altijd wit,' ging Valerie verder.

'Met een bruin konijn lukt het vast ook.'

'Nikki heeft gelijk,' zei Dave. 'We hebben een konijn en de kleur maakt niet uit.'

Valerie nam het konijn in ontvangst. 'Hij is wel lief,' zei ze. Zacht streelde ze zijn oren. 'En zacht. Ik hoop dat ik mijn konijn terugvind.'

'Vast wel,' zei Nikki en ze zette de lege mand neer. 'Houd je hem goed vast? Eén loslopend konijn is al erg genoeg.'

Valerie knikte. 'Bedankt,' zei ze en ze keek Nikki onderzoekend aan. 'Zeg... doe jij ook mee vanavond? We zagen jouw naam op de lijst staan.'

Nikki knikte.

'Wat ga je doen?' vroeg Thijs nieuwsgierig.

'Dat is geheim.'

'Helemaal in je eentje?' probeerde Valerie nog, maar voordat Nikki kon antwoorden, hoorde ze de aankondiging van haar goochelact.

'We moeten op. Spreek je straks!'

Vanachter het gordijn keken de meesten toe hoe Valerie de hoge hoed op de tafel zette. Over de tafel hing een kleed. Het konijn van Nikki zat onder de tafel verstopt. De mensen in de zaal applaudisseerden.

'Duimen maar dat het goed gaat,' fluisterde Nikki, die bezorgd naar de mand staarde waar Flappie in zat. Achter haar klonk geroezemoes. Nikki draaide zich om.

'Arkan is er niet,' riep Janine. 'Heeft iemand Arkan gezien? Die mafkees is altijd te laat. Waar is Arkan?'

'Arkan is ziek!' Meester Kas kwam de ruimte in gelopen. 'Zijn moeder belde net. Arkan heeft waarschijnlijk iets verkeerds gegeten. Hij kan niet komen.'

'Dit is een ramp!' Janine sloeg haar handen voor haar mond. 'Zonder Arkan is er geen goeie beat.'

Ook Niels en meiden van het achtergrondkoor keken teleurgesteld.

'Zonder beat is het niet cool,' zei Niels.

'Dan maar wat minder cool,' merkte de meester op. 'Het is niet anders.'

Er klonk flink gemopper. Het groepje van Janine was behoorlijk van slag.

'Zonder drum klinkt het niet,' zei Niels.

'Zo winnen we nooit,' riep Kelly.

Ook Joyce en Nance mopperden erop los.

De meester krabde aan zijn kin. 'Zeg, Nik... speelde jij niet ook drum?'

Nikki knikte voorzichtig. Ze voelde de bui al hangen. 'Ja, maar...'

'Kun jij niet wat meeslaan met ze?'

Nikki lachte. 'Zo makkelijk is dat niet, hoor!'

'Maar zou je het kunnen?'

Nikki aarzelde. Het nummer dat ze speelden, kende ze uit haar hoofd. Dat had ze vaak genoeg gedrumd. Maar of ze nu mee moest doen? Stel je voor dat het mislukte? Dan had weer iedereen de pik op haar.

Janine zag dat Nikki zich verlegen voelde met de situatie. 'Ze kent dit nummer helemaal niet, meester. Laat maar... we doen het wel zonder drum.'

Het teleurgestelde gezicht van Janine trok Nikki over de streep. Ze moest wel eerlijk zijn. Ze kende het nummer, dus moest ze niet moeilijk doen. 'Ik ken het nummer en ik wil wel meedoen,' zei ze. 'Als jullie dat willen.'

Het was heel even stil. De meester was de eerste die de stilte verbrak. 'Dat is nog eens tof... Oké, dat is dan geregeld. Nikki drumt mee.'

'Weet je het zeker?' vroeg Janine. Ze wilde niet dat Nikki zich gedwongen voelde.

Nikki was nu helemaal vastbesloten om het te doen.

Ze zou wel eens laten zien wat ze kon. 'Als ik zeg dat ik het kan, dan kan ik het ook. Ik heb Arkan horen drummen tijdens het oefenen en ik ken het lied. Een eenvoudige beat kan ik er wel achter zetten. Echt, dat lukt me best.' Ze keek de anderen aan. 'En anders improviseer ik wat op de maat.'

Niels zijn gezicht klaarde op. 'Zeker weten?'

Nikki knikte. 'Anders bied ik het niet aan.'

'We moeten zo op,' riep Nance.

'Staat het drumstel klaar?'

Niels knikte. 'Arkan heeft vanmiddag zijn drumstel al gebracht. Alles staat klaar.'

Op de achtergrond klonk applaus. Door de kier van de gordijnen zagen ze de directeur naar de microfoon lopen.

'We moeten,' siste Janine. Ze keek Nikki aan. 'Bedankt, Nik. Super!'

Met een daverend applaus werden ze op het podium ontvangen. Nikki nam plaats achter het drumstel. Heel even keek Niels achterom en hij gaf Nikki een knipoog. Toen zette de muziek in.

'Geweldig!' Janine stapte als laatste het podium af en sloeg haar armen om Niels heen. Het gejuich uit de zaal was goed hoorbaar. 'We hebben het geflikt. We hebben geweldig gezongen! Jij vooral... Je was goed.' Ze gaf Niels een zoen op zijn wang. 'Bedankt. En Nikki klonk strak, een goed idee om haar mee te laten drummen.'

'Zonder Nikki hadden we dit nooit zo goed gedaan,' zei Niels. 'Tjonge, wat kan die meid drummen.'

Janine keek op. 'Waar is ze eigenlijk?'

Nikki was spoorloos verdwenen. Vluchtig keek Janine om zich heen. 'Ach, dan bedanken we haar straks wel. Laten we wat gaan drinken, goed? Het is toch pauze.' Gearmd liepen Niels en de meiden naar het lokaal dat tijdelijk was ingericht als de *Green Room*. Iedereen die optrad mocht hiernaartoe om wat te eten en te drinken.

Het was best druk in de Green Room. Valerie zat met Thijs en Dave bij Puk en Mirjam in de hoek van het lokaal. Naast haar stond de mand met Flappie. De meiden van de streetdance-act maakten zich klaar voor hun optreden.

'Hé Niels... goed gegaan, hè?' Thijs schoof iets opzij, zodat Niels er nog tussen kon. Janine kroop ernaast. 'Het was echt super. Alles ging goed. Als we nu niet winnen.'

'Wij winnen, hoor,' lachte Valerie. 'Onze goochel-trucs lukten allemaal. De hele zaal was verbijsterd. Echt, je had die gezichten moeten zien toen Flappie tevoorschijn kwam.'

'Saartje moet op,' zei Janine en ze stond op. *'Let's go.'* Niemand reageerde.

'Ik heb die act nu wel gezien,' mompelde Niels. 'Ze doen ieder jaar hetzelfde. Ik blijf liever even hier. Veel gezelliger, toch?' Hij klopte op zijn knieën. 'Je kunt hier zitten, als je wilt?'

Heel even aarzelde Janine, maar toen ging ze glimlachend op Niels zijn schoot zitten. 'Je hebt eigenlijk wel gelijk. We hebben dat gehups nu wel gezien.'

Saartje stond achter het gordijn en sloeg met haar vuist op de cd-speler die naast haar op een tafel stond. 'Stom ding... niet nu! Alsjeblieft.'
Renske, Eva en Zora stonden om de tafel heen.
'Misschien zijn de batterijen leeg?' merkte Renske op.
'Doe niet zo suf,' mompelde Saartje. 'Dit ding werkt op stroom.' Ze sloeg nogmaals op het apparaat. 'Dat kreng wil niet open. Ik moet de cd aan meester Wim geven.'
'Zit de cd erin?' vroeg Zora.
'Ja, natuurlijk!' schreeuwde Saartje nu. 'Die wil ik er juist uit hebben, maar de klep wil niet open.'
Saartje keek om zich heen. 'Is er niet iemand die hier verstand van heeft?'
'Ik haal wel iemand,' zei Renske en ze stoof weg.
'Problemen?'
Saartje keek recht in het gezicht van Nikki. 'Nee, niets aan de hand,' zei ze zo neutraal mogelijk. 'Ga lekker verder met waar je mee bezig bent.'
Nikki keek naar de cd-speler. 'De lade zit klem,' merkte ze op. 'Wist je dat?'
Saartje knikte. 'Ja hoor, dat wisten we. Daaaag.'
Net op het moment dat Nikki weg wilde lopen, kwamen Renske en Myren eraan.

'Myren denkt te weten wat het is,' zei Renske. 'Hij zegt dat de lade misschien klem...'

Ze hield haar mond toen ze de boze blik van Saartje zag, maar het was al te laat.

'Dus toch,' mompelde Nikki. Ze boog zich over de cd-speler heen. 'De lade zit klem. Als je nu...'

'Laat mij maar,' riep Myren. Hij duwde Nikki opzij en morrelde aan de lade. 'Die zit echt vast.' Hij zette zich schrap en trok nog harder. Met een klap vloog de lade eruit en Myren viel achterover. Verbaasd keek hij naar de afgebroken cd die hij in zijn hand hield. 'Oeps...'

Saartje kreeg zowat een beroerte. 'Ja, lekker zeg! Nu kunnen we ons optreden wel vergeten.'

'Het spijt me,' stamelde Myren. 'Kun je niet twee keer een half nummer dansen?'

Het grapje van Myren viel slecht bij Saartje. 'Donder alsjeblieft op!' riep ze. 'Wat ben jij voor een nono?'

'Myren wilde alleen maar helpen,' viel Nikki uit.

'Nou, lekkere hulp dan.' Saartje keek Nikki aan. 'Komt jou wel mooi uit, hè? Weer een concurrent minder.' Haar ogen lichtten op. 'Wacht eens...' Ze keek van Myren naar Nikki. 'Jullie deden dit expres! Natuurlijk, dat is het. Jullie zijn gewoon jaloers dat wij al twee keer gewonnen hebben en ook dit jaar weer zullen winnen. Dit is pure sabotage, ik...'

Verder kwam ze niet. De hand van Renske kwam met een klap op Saartjes wang terecht.

'Au!' Verbaasd staarde Saartje naar Renske.

'Ik heb Myren gehaald, weet je nog? Die jongen weet van niets. En Nikki wilde alleen maar helpen. Je moet eens ophouden met anderen meteen te beschuldigen. Ik schaam me dood.'

Saartje zei niets, maar haar ogen schoten vuur.

'Sorry,' zei Renske en ze richtte zich tot Myren en Nikki. 'Ze bedoelt het niet zo.'

Myren legde de halve cd op tafel. 'Kunnen we niet nog iets regelen? Ik bedoel... als jullie zeggen welk nummer het is, dan kan ik thuis kijken of...'

'Te laat,' siste Saartje. Achter het gordijn klonk applaus. 'We moeten op.'

Nikki haakte haar mp3-speler van haar broekriem. 'Ik heb het nummer ook. Hier...'

Ze gaf de mp3-speler aan Renske. 'Als je die aansluit op de geluidsinstallatie... Het is nummer vier.'

Renske knikte. 'Te gek.'

Terwijl Zora, Saartje en Eva het podium op liepen, rende Renske naar meester Wim, die het geluid verzorgde. Even later klonk het bekende nummer door de speakers.

'Goed gedaan, meissie,' lachte Myren. Ze gluurden door het gordijn naar de vier danseressen.

'Ze zijn echt goed,' zei Nikki en in haar stem klonk bewondering.

Bijna iedereen had nu opgetreden. Er was een korte pauze en de meeste kinderen zaten in de Green Room.

'Is iedereen uit onze klas geweest?' riep Dave, die ongeduldig begon te worden.

'Nog één optreden,' zei meester Kas, die een paar plastic bekertjes in de prullenmand wierp. 'Nikki is nu aan de beurt.'

Hij liep naar de groep kinderen uit zijn klas. 'Ik zou het leuk vinden als jullie haar kwamen aanmoedigen,' zei hij.

'Moet dat?' riep Saartje, die uitgeput in een stoel hing. 'Ik ben doodop.'

'Nou nee, het moet natuurlijk niet, maar ze gaat iets heel bijzonders doen.'

Nu kwamen er reacties.

'Wat gaat ze doen dan?' vroeg Renske. 'Ze deed er zelf nogal geheimzinnig over.'

Meester Kas glimlachte. 'Ik kan jullie alleen vertellen dat het ook over jullie gaat.' En weg was hij.

'Wat?' Saartje keek haar klasgenootjes aan. 'Ze gaat ons toch niet te kakken zetten?'

'Nee,' zei Myren. 'Zoiets doet ze echt niet hoor, zij niet!'

'Ze is echt geen heilig boontje,' ging Saartje verder. 'Ook al denk jij van wel.'

'Ik denk helemaal niets,' riep Myren. 'Ik weet alleen dat ze het niet makkelijk heeft.'

Er viel een stilte.

'Wat weet jij dat wij niet weten?'

Myren stond op. 'Geloof mij: Nikki is een kanjer. En ik ga haar aanmoedigen.'

Een paar jongens volgden hem.

'Ik ga mee,' zei Janine. 'Ze kan wel wat support gebruiken.'

Valerie stond op, pakte een paar taalboeken uit de kast en legde die op de mand waar Nikki's konijn in zat. 'Ik ook.'

Alle kinderen slopen de zaal in en gingen vooraan op hun plekje zitten.

Saartje was de laatste die opstond. 'Ik ben benieuwd.'

HOOFDSTUK 10

Nikki liep naar de rand van het podium. De microfoon stond al klaar. Het werd langzaam stil in de zaal.
Nikki haalde diep adem en frummelde wat aan haar
broek. Was dit wel zo'n goed idee? Wat nou als...
'Dames en heren,' sprak de directeur. 'Nikki zal een
zelfgeschreven nummer zingen... eh... rappen, heet
dat tegenwoordig. Graag uw exclusieve aandacht
voor onze laatste artiest!'
Er klonk een daverend applaus. Nikki knipperde
met haar ogen. De felle lampen blokkeerden haar
uitzicht over de zaal. Ze zag vaag wat hoofden.
Nikki voelde haar hart bonken. Ze wist dat haar
moeder ergens in de zaal zat. Vanochtend hadden
ze nog samen geoefend. Nikki had getwijfeld of ze
het nummer wel zou doen, maar haar moeder had
haar overtuigd. 'Laat ze maar zien en horen dat je een
kanjer bent,' had haar moeder gezegd. Ook de meester had het een prima idee gevonden.

En nu stond ze hier... met knikkende knieën. Wat nou als het een flop werd? Dan kon ze het helemaal schudden hier.

Voor in de zaal klonk geroezemoes. Nikki zag dat Myren zijn duim omhoog stak. Nikki glimlachte. Myren was zo'n beetje de enige die echt aardig was tegen haar. En Janine, die viel ook best mee.

Nikki zag haar klasgenootjes vooraan zitten. Heel even moest Nikki slikken. De strakke blik van Saartje was niet te missen.

'Zet 'm op, Nikki!' hoorde ze vanuit de zaal schreeuwen.

Nikki glimlachte. Ze had de stem herkend. Het enthousiasme van haar moeder was aanstekelijk.

Nikki knikte naar meester Wim. Ze was er klaar voor. De muziek startte en Nikki bewoog haar heupen. Het was nu of nooit. Het strakke ritme van het intro deed de zaal klappen. Nikki bewoog haar hoofd op de maat van de muziek en concentreerde zich. Nog twee maten, dan moest ze invallen. Met gesloten ogen luisterde ze naar de muziek. Er was geen weg meer terug.

Ze moest...

Ze wilde...

Ze ging...

Verhuizen was geen pretje,
Weggaan, haast, dag huis...
Die nieuwe kale ruimte,
Wat verf, maar toch niet thuis.

Alles moest weer wennen,
Het huis, maar ook de straat.
De buren en de winkels,
Je weet wel hoe dat gaat.

We deden alles samen,
Je was mijn grootste fan.
Ik kan haast niet geloven
Dat jij er niet meer bent.

Mijn nieuwe school was balen,
De klas een giga misser.
De jongens waren cool,
Maar de meiden gingen dissen.

Het was net of ik lucht was,
Niemand sprak me aan.
En als ze samen speelden,
Dan lieten ze mij staan.

We deden alles samen,
Je was mijn grootste fan.
Ik kan haast niet geloven
Dat jij er niet meer bent.

Ik laat me heus niet kennen,
Ze krijgen mij niet klein.
Jij leerde mij te vechten,
Gewoon mezelf te zijn.

De pijn wordt langzaam minder,
Ik huil niet meer zoveel.
Je foto naast mijn bed,
Is al een beetje geel.

We deden alles samen,
Je was mijn grootste fan.
Ik kan haast niet geloven
Dat jij er niet meer bent.

Ik hoop dat alles goed komt,
Me thuis ga voelen hier.
Want zonder echte vrienden,
Heb ik niet echt plezier.

Weet je, lieve papa,
Ik mis je elke dag.
Maar ik voel me stukken beter,
Als iemand naar mij lacht.

We deden alles samen,
Je was mijn grootste fan.
En ik kan haast niet geloven
Dat jij er niet meer bent.

Nikki stopte gelijk met de muziek. Haar ademhaling was onregelmatig en ze voelde haar hart in haar keel kloppen. Het was doodstil in de zaal. Ook achter het gordijn was niets te horen. Je kon een speld horen vallen.

Toen zette de muziek weer in voor de laatste twee regels. Nikki haalde adem en rapte uit volle borst:

En daarom hoop ik zo
Dat jullie me nemen zoals ik ben.

Alles was nu stil. Met gebogen hoofd stond Nikki op het podium. Haar gedachten gingen als een gek tekeer. Had ze het goed gedaan? Was het getimed? Was de tekst niet te zwaar? Had ze het wel moeten doen zo?

Langzaam hief ze haar hoofd en ze keek de zaal in. Op de zesde rij zat haar moeder. Heel even keken ze elkaar aan.

Nikki zag dat ze had gehuild. Het licht van de lampen weerkaatste op haar natte wangen. Vreemd genoeg voelde Nikki geen enkele traan. Na alle huilbuien van de afgelopen weken leek het wel of haar tranen op waren.

Haar moeder tilde haar handen op en klapte. Een keer... twee keer... Haar handen gingen steeds sneller op elkaar. Meerdere handen volgden en binnen een paar seconden klapte de hele zaal.

'Bravo!'

'Mooi, meid!'

'Goed gezongen!'

Nikki keek verlegen de zaal in. Haar klasgenootjes gaven een staande ovatie. Zelfs Saartje klapte mee.

De directeur kwam het podium op gelopen met een

grote, gouden beker in zijn handen. Er klonk tromgeroffel. 'Dames en heren, en dan nu het moment
om de winnaar van onze jaarlijkse feestavond bekend
te maken. Mag ik alle kinderen vragen op het podium te komen?'

Vanuit alle hoeken en gaten kwamen ze tevoorschijn,
alle bovenbouwleerlingen. Het podium was net groot
genoeg om iedereen te dragen.

Ook de kinderen uit Nikki's klas stapten het podium
op. Nikki zag ze zwijgend en schoorvoetend de trap
op schuifelen.

Thijs, Valerie, Janine... Nikki zag ze allemaal dichterbij komen. Saartje, Mert... En allemaal ontweken
ze Nikki's blik. Als laatste kwam Myren het podium
op gesprongen. Hij grijnsde en gaf Nikki een knipoog.

Niels was naast Janine gaan staan. 'Als we winnen,
knuffel ik je plat,' zei hij.

Janine kreeg een kleur. Ze wist niet of ze nu wilde
winnen of niet. Heel even keek ze Niels aan. 'En als
we verliezen?'

'Dan ook,' grijnsde Niels.

De directeur haalde de microfoon uit de standaard.
'De jury heeft besloten...'

Weer klonk er tromgeroffel. De kinderen op het podium werden onrustig. Saartje kneep in Eva's hand.
Valerie beet op haar nagels. Janine hield haar adem in.
De directeur glimlachte en ging verder: '...om het
dit jaar eens heel anders te doen.'

Hij keek op zijn papier en er ontstond wat geroezemoes op het podium.

'Mag ik nog even stilte, jongens en meisjes?'

Het werd meteen stil. De directeur glimlachte. 'Ik
begrijp dat dit voor jullie ook een verrassing is, maar
ik kan jullie vertellen dat de winnaar van vanavond...'
Hij wachtte even. '...jullie allemaal betreft! Gefelici-
teerd.'

Het bleef stil op het podium. De kinderen keken wat
verbaasd. Wat bedoelde de meester nou? Wie had er
nou gewonnen?

De directeur ging verder. 'De jury heeft besloten dat
jullie allemaal een geweldig optreden hadden. Iedereen was eigenlijk een winnaar. Vandaar dat we nu in
plaats van deze grote beker...'

Hij zette de beker neer en liep naar het gordijn aan
de achterkant. Met een ruk trok hij het open. Een
grote tafel met allemaal kleine, gouden bekers werd
naar voren geschoven door meester Kas en meester
Wim. '...jullie allemaal een beker willen overhandi-
gen.'

Er brak een oorverdovend gejuich en applaus los.
Terwijl de meesters de bekers aan iedereen overhan-
digden, dansten de kinderen op en neer.

'We hebben gewonnen!' riep Janine en ze sloeg haar
armen om Niels zijn nek. Zonder zich te bedenken
gaf ze Niels een zoen op zijn wang. 'Yes!'

Niels lachte en sprong samen met Janine op en neer.
'Te gek!'

Valerie stond met haar armen in de lucht. 'Gewonnen!' riep ze. 'Ik heb gewonnen.'

Alle kinderen gingen uit hun dak en ook Nikki glom van trots toen ze de beker in ontvangst nam.

'Wel zo eerlijk, toch?' zei ze tegen Saartje, die naast haar stond. 'Nu heeft iedereen gewonnen.'

Saartje lachte wat krampachtig. 'Ja, drie keer winnen zou een beetje flauw zijn. Ik ben blij dat ze daar rekening mee gehouden hebben.'

Meester Kas pakte de microfoon. 'Mag ik de kinderen uit mijn klas verzoeken om even naar de Green Room te komen?'

Terwijl de directeur iedereen een goede thuisreis wenste, liep meester Kas met zijn leerlingen naar de Green Room. Toen iedereen binnen was, sloot hij de deur en gebaarde dat iedereen kon gaan zitten.

Afwachtend keken de kinderen hun meester aan.

'Deze klas,' begon meester Kas. 'Deze klas bevat stuk voor stuk bijzondere kinderen. En ieder heeft zo zijn talenten. De afgelopen jaren zijn er hechte vriendschappen ontstaan. Natuurlijk is er wel eens ruzie, dat komt in de beste families voor, maar altijd praatten we dat uit. Ik ben er best trots op dat deze klas zo goed met elkaar omgaat.'

Hij wachtte even. 'Nikki moest haar plaatsje veroveren in een hechte groep. Jullie hebben gehoord hoe moeilijk ze het had met de verhuizing en haar vaders overlijden. Dan is het niet makkelijk om je aan te passen. Om te vechten voor je plekje. Integen-

141

deel... Als je verdrietig bent, wil je juist een arm om je heen. Dan heb je geen energie meer voor andere dingen.'

Niemand zei iets.

'En daarom...' De stem van meester Kas klonk luider. 'Daarom stel ik voor dat we opnieuw beginnen. En deze keer doen we het goed.'

De kinderen keken de meester vragend aan.

'Dit is Nikki.' Meester Kas gebaarde dat Nikki naast hem mocht komen staan. 'Nikki is verhuisd. Ze woont nu hier in de buurt en komt bij ons in de klas.'

Hij gaf Nikki een hand. 'Welkom, namens iedereen.' Wat verlegen schudde Nikki de hand van de meester. Wat was dit nu weer voor raar toneelstukje? Ze was toch al voorgesteld aan de klas? Moest dat nu nog een keer?

'Misschien is het een idee als we ons allemaal even voorstellen?' zei de meester. Hij keek zijn klas vragend aan. 'Iemand? Zeg je naam en vertel iets over jezelf.'

Janine kwam naar voren en stak haar hand uit. 'Hoi, ik ben Janine. De giechelkampioen. Welkom in onze klas.'

Nikki moest lachen. Uitgerekend de verlegen Janine stapte als eerste naar voren.

Myren stond al achter Janine. 'En ik ben Myren... de leukste jongen van school.'

Een paar kinderen schoten in de lach.

'Dat denk je maar,' riep Mert, die naar voren kwam

lopen en op zichzelf wees. 'Merty-boy is klasse.' Hij gaf Nikki een handkus.

'Ho, ho, ho,' riep Cem. 'Als er iemand leuk is, dan ben ik het.' Hij maakte een kleine buiging voor Nikki. 'Cem is mijn naam, aangenaam!'

Eén voor één kwamen de kinderen uit de klas naar voren en stelden zich aan Nikki voor. En iedereen vertelde iets over zichzelf.

'Hi, ik ben Kelly, en ik ben de kletskous van de klas.'

'Ik ben Dave, rekenwonder nummer één.'

'Ik ben Valerie, en ik speel graag toneel.'

'Kampioen aanstellen, zul je bedoelen,' riep Cem.

Valerie stak haar tong uit. 'Wacht maar tot ik die Oscar heb gewonnen! Dan piep je wel anders.'

Nikki lachte. 'Ik wil graag je handtekening als het zover is,' zei ze en ze gaf Valerie een hand.

Saartje was de laatste in de rij. Aarzelend kwam ze dichterbij. Jochem voor haar gaf Nikki een hand. 'Ik ben Jochem en ik ben eigenlijk heel gewoon.'

Nu stonden Saartje en Nikki recht tegenover elkaar. Wat ongemakkelijk keken ze elkaar aan. Saartje aarzelde. Ze had haar handen in haar zakken gestopt. Toen deed ze een stap naar voren en bracht haar mond tot vlak bij Nikki's oor.

'Saartje,' fluisterde ze. 'Pestkop van het jaar... Het spijt me.'

Niemand had het verstaan, alleen Nikki. Meester Kas fronste zijn wenkbrauwen, maar zei niets. Saartje liep terug naar de groep.

'Wat zei je nou?' siste Valerie.

'Toch niet iets stoms?' vulde Janine aan.

Saartje zei niets en bleef strak voor zich uit staren.

Nikki liep naar de meester. 'Leuke klas, mees. Dat moet lukken.' Ze keek naar Saartje, die nog steeds stilletjes bij haar vriendinnen stond. Ze vond het tof wat Saartje had gedaan. Daar was moed voor nodig. Saartje was koppig, net als zij... dat kon nog leuk worden. 'Ik zou graag in het groepje van Saartje willen zitten. Mag dat?'

Saartje keek op.

'Mag ik vragen waarom?' vroeg de meester.

Nikki haalde haar schouders op. 'Gewoon, meiden onder elkaar. Het klikt wel.'

De meester schudde zijn hoofd. 'Meiden... ik snap er niets van.'

'Meiden zijn gek, meester,' riep Cem.

'...op jongens,' vulde Myren aan en hij gaf Nikki een knipoog.

I love myren
xx odie

hij is van mij
xxx Lizzie